林姓主婦的
家務事
4

一條龍餐桌，從家庭料理到副食品

＃美味食譜篇

88⁺ 道好吃到噴淚，
從嫩嬰到爸媽都愛的一條龍料理

林姓主婦　著

suncolor
三采文化

目錄／

one

煮一鍋溫暖好食

two

拌什麼都好吃的
萬用絞肉料理

three

越忙越該燉鍋
療癒系熱湯

Four

喝幾口就喝下一堆
營養的大補帖濃湯

目錄／

Five

輕鬆搞定的營養配菜

six

大口吃主食就是很滿足

seven

充滿魔法的小食

食譜調味料劑量説明
- 一茶匙＝3ml
- 一小匙＝5ml
- 一大匙＝15ml

HOW TO USE
使用說明

進入食譜前，複習一下如何一步步將一條龍料理變化成寶寶也能一起吃的版本吧！
在準備大人料理的同時，副食品也順手完成了！

分食給寶寶吃的 5 個步驟

步驟 **1**

依照食譜中的建議時機，將想要給寶寶吃的食材取出。

⬇

步驟 **2**

依照寶寶當下的咀嚼能力，將食材處理成適合的口感。

步驟
3

優先以調色盤方式擺放於
盤中,並搭配米粥,方便
分別餵食,也可直接混成
寶寶粥。

步驟
4

可視餐點內容跟寶寶食量加菜。

步驟
5

若料理屬燉煮類,湯汁充滿
食材香氣的話(像是番茄牛
腩、番茄甜椒燉雞腿、或是雞
湯),可取一些湯汁拌入米
粥,讓寶寶嚐到更多味道。

one
煮一鍋溫暖好食

想與寶寶共食又要確保營養豐富均衡，不
一定得煮澎湃的三菜一湯，其實很多一鍋
料理本身食材就很豐富，燉煮進滿滿的營
養與美味，分食給寶寶吃超合適！

FIRST DAY

6M24D

#01
山不轉路轉的主婦巧思
日式野菇燉雞肉

馬鈴薯燉肉是我們一家都很愛的日式家常菜，但偏偏我老公跟大兒子
都不太吃馬鈴薯本人，以至於最後都靠我掃盤，害我吃完都有一種澱
粉攝取破表的罪惡感。有天索性不加馬鈴薯了，但鍋子裡空虛到像
被搶劫過，靈機一動把鴻喜菇跟秀珍菇跟炒進去。吸滿鹹甜醬汁的野
菇，讓本來不特別愛吃菇的大兒子一吃愛上，我們家的馬鈴薯燉肉從
此正式改版成野菇燉雞肉，吃起來一樣下飯，但多了點清爽感呢！

這道料理將洋蔥、紅蘿蔔跟野菇的清甜徹底釋放，即便不調味，順便
做成副食品也會相當美味！

RECIPE

份量：3～4 人份

食材

- 2 片去骨雞腿排──把皮剝掉後，切大塊。
- 1 顆洋蔥──切塊。
- 1 根日本大蔥──切段（也可用一般蔥取代）。
- 1 根紅蘿蔔──去皮切塊。
- 1 包鴻喜菇
- 1 包秀珍菇

調味料

- 1 大匙醬油
- 1 大匙味醂
- 1 大匙清酒（可省略）

作法

1 以適量油熱鍋後，將洋蔥及大蔥爆香，炒至洋蔥變透明感。

2 加入雞肉塊拌炒至表層變熟。

3 加入紅蘿蔔、鴻喜菇、秀珍菇，拌炒至菇類出水。

4 蓋上鍋蓋，轉小火悶煮約10分鐘，讓食材熟透、紅蘿蔔變軟。

5 打開鍋蓋，確認食材煮熟燉軟後，把寶寶適合吃的食材酌量取出，接著參考一條龍副食品料理使用說明，處理成寶寶餐點。

6 加入調味料，把醬油的香氣炒出來。

7 加入適量水（約 200ml，請依食材自行調整，蓋到食材八分滿即可）。

8 蓋上鍋蓋，轉小火讓食材悶煮10分鐘入味，即完成。

#02

濃郁香甜全家愛

番茄紅燒牛肉

我第一本食譜就有教大家做番茄牛肉麵,那是跟我媽學的,不像牛肉
麵店賣的紅燒口味,我們家版本是加了滿滿的番茄、洋蔥跟紅白蘿
蔔,湯頭非常濃郁香甜。

當年的我，只會用鑄鐵鍋燉，但每次總要燉至少三、四個小時，而且有時燉再久也無法達到我要的口感，可能跟每批的肉質也有關。燉不爛，我跟老公自己吃倒也無所謂，但後來生了個歪嘴雞兒子，太有嚼勁的肉，只會被他嚼個十分鐘，再以牛肉丸之姿吐出來。

為了讓哥哥也能輕鬆吃，我開始改用快力鍋（壓力鍋）煮，用了後我只覺得過去等牛肉燉軟的青春都白費了。用快力鍋只要上壓後再熬煮15分鐘，就可以把牛肉燉到筷子一撥即散、軟而不爛的口感，以前到底在瞎忙什麼呢？

做番茄牛肉一般都會加辣豆瓣醬爆香提味，但現在兩小也要吃，我就省略不放。第一次這樣做時，有點擔心會少一味，沒想到就算只加醬油，配上大量蔬菜，湯頭還是好喝到不行，一點都不會覺得無趣。

現在為了要讓弟弟也享用，我是先把牛肉、蔬菜都燉好，趁調味前撈出弟弟要吃的份量，最後才下醬油熬個十多分鐘入味，美味毫不打折，我煮一鍋就搞定全家也樂得輕鬆，皆大歡喜。

RECIPE

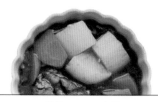

份量：4～6人份

食材

- 600g 牛肋條——每段切成約食指長度，不要切太小段，因為牛肉燉了會縮，切太大塊也容易散。牛肉切好後，汆燙備用。（照片中用的是半筋半肉的牛肉，但牛肋條會好買很多，所以直接以牛肋條做說明）
- 4 顆牛番茄——切塊。
- 1 顆洋蔥——切塊。
- 1 根紅蘿蔔——切塊。
- 1 條白蘿蔔——切塊。
- 4～5 片薑
- 4～5 顆蒜頭——去皮拍碎。

調味料

- 適量醬油——依個人口味調整即可。

作法

1　以少許油熱鍋後，加入洋蔥拌炒至透明狀。

2　加入牛肉略作拌炒。

3　加入番茄，炒至番茄變軟。

4　加入適量水至約略淹過食材後，蓋上鍋蓋。

5　將快力鍋的把手旋鈕轉至第二段（此為快力鍋針對肉類所設計的壓力設定），轉中火讓湯汁繼續滾，直到蒸氣上升。

6　待鍋蓋上的烹飪指示器上升到第二條綠線出現，代表燉肉的壓力已到，此時轉小火，計時燉煮15分鐘。

7　時間到關火後，等烹飪指示器慢慢下降到完全平，洩氣完成即可開鍋。

8　加入紅蘿蔔跟白蘿蔔繼續燉煮。此時若覺得湯汁偏少，還可以再補水。蓋上鍋蓋後，把手旋鈕轉至第一段（針對蔬菜所設計的壓力），等烹飪指示器上升到綠線第二條後，轉小火，繼續燉煮15分鐘。

9　時間到關火後，等烹飪指示器慢慢下降到完全平，洩氣完成即可開鍋。

10　把寶寶適合吃的食材酌量取出，接著參考一條龍副食品料理使用說明，處理成寶寶餐點。

11　最後加入適量醬油，調到自己喜歡的鹹度，再熬個10多分鐘入味即成。

我是用快力鍋燉煮，很省時。也可用一般鍋子直火燉煮，料理順序皆相同。

━━━ TIPS ━━━

● 我是使用WMF的Fusiontec 6L快力鍋，鍋容量可以燉全雞的大小，對我來說很好用，燉豬腳都夠用。但如果是小家庭，可以優先購入4.5L，做一鍋燉滷料理綽綽有餘囉！

#03

看似清淡卻滋味豐盛

清燉牛肉

我以前從來不會想吃清燉牛肉,吃番茄跟紅燒口味慣了,無色的清燉牛肉在我眼中看來也肯定無味。

直到有天去一家我很愛的家庭料理餐廳,當天他們的特餐好死不死就是清燉牛肉,我勉為其難點來吃吃看,一吃驚為天人,碗裡明明只有牛肋條跟紅白蘿蔔,湯頭卻甜到不行,那好吃的震撼感甚至超越番茄與紅燒口味。

我等待至少一年的時間,才終於跟老闆請教到作法,其實就是先用蔥、薑爆香,再加上香料包,老闆的配方裡有草果、白胡椒、桂皮、月桂葉、丁香,我去中藥行看他們賣的牛肉滷包,配方也差不多是這些,我就直接買來用了。成果真的非常好吃,弟弟超級愛,愛吃牛肉的一定要燉來試試看!

FIRST TRY

10M3D

RECIPE

份量：4～6人份

食材

- 600g 牛肋條──每段切成約食指長度，不要切太小段，因為牛肉燉了會縮，切太小塊的話也容易散。牛肉切好後，汆燙備用。
- 2 根紅蘿蔔──切塊。
- 1 條白蘿蔔──切塊。
- 4～5 片薑
- 3～4 根蔥──切段。
- 適量香菜（不愛吃可省略）

調味料

- 適量鹽──依個人口味調整。
- 牛肉滷包（中藥行會賣配好的）
- 辣豆瓣醬（沾牛肉用）

作法

1　以少許油熱鍋後，加入薑片與蔥白爆香。
2　加入牛肉略作拌炒。
3　加入適量水淹過牛肉後，丟入滷包，蓋上鍋蓋。
4　把手旋鈕轉至第二段（此為快力鍋針對肉類所設計的壓力設定），轉中火讓湯汁繼續滾，直到蒸氣上升。
5　待鍋蓋上的烹飪指示器上升到第二條綠線出現，代表燉肉的壓力已到，此時轉小火，計時燉煮15分鐘。
6　時間到關火後，等烹飪指示器慢慢下降到完全平，洩氣完成即可開鍋。
7　加入紅蘿蔔跟白蘿蔔繼續燉煮。此時若覺得湯汁偏少，還可以再補水。

8 蓋上鍋蓋後，把手旋鈕轉至第一段（此為針對蔬菜所設計的壓力），等烹飪指示器上升到綠線第二條後，轉小火，繼續燉煮15分鐘。

9 時間到關火後，等烹飪指示器慢慢下降到完全平，洩氣完成即可開鍋。

10 把寶寶適合吃的食材酌量取出，接著參考一條龍副食品料理使用說明，處理成寶寶餐點。

11 於鍋中加入適量鹽，調到喜歡的鹹度，再熬個10多分鐘入味，即完成。吃的時候可灑一把香菜在湯中更香。牛肉可沾點辣豆瓣醬一起吃。

弟弟吃的米粥裡，除了有淋高湯外，也有撒一把香菜，想說給他嚐嚐味道，結果他很OK耶，開開心心整碗吃完，可給寶寶試試看喔！

我是用快力鍋燉煮，很省時。也可用一般鍋子直火燉煮，料理順序皆相同。

#04
讓甜椒變好吃與孩子來場正面對決
番茄甜椒燉雞

前面提到，哥哥時期我幾乎都是做寶寶粥，也就是把食材搭來搭去，
變化出不同口味的寶寶粥。說真的當時我研發出來的寶寶粥口味都很
好，但回想起來，我在搭配食材時，其實是有點鴕鳥心態。

FIRST TRY

9M4D

我常常會想要給哥哥吃某樣食材，但又擔心那食材的味道比較不討喜，就想辦法幫那食材找出互補的另一半，希望藉此淡化它在粥裡面的味道，免得哥哥吃了倒彈。

像甜椒，當時我的解法就是跟地瓜混在一起，椒味就會變溫和，哥哥也確實因為這招，吃下了不少甜椒。

但這根本是自己騙自己，哥哥吃再多也不會對甜椒的味道有任何認識，而我到底是為什麼要給哥哥練習吃甜椒，然後又千方百計把甜椒味道掩蓋掉呢？

到弟弟時，我改用一種坦蕩蕩的方式去跟他正面對決，我還是會透食材搭配或是烹調手法讓食材變好吃，像甜椒，我就是讓他變成好吃的甜椒，而不是偷雞摸狗讓弟弟不知不覺吃進去。

讓甜椒好吃的訣竅就是燉到熟透，就會變成名符其實的「甜」椒。我另外搭配洋蔥跟番茄，利用無水料理的手法，讓燉煮出來的湯汁特別濃郁香甜，淋一點在米粥上，香氣四溢，弟弟當場吃掉一大碗，另外搭配耐燉煮的白花椰菜，大人小孩吃這鍋，就什麼都有了，再方便不過！

RECIPE

份量：3～4 人份

食材

- 6 根棒棒腿
- 2 顆蒜頭──拍碎。
- 1/2 顆洋蔥──切塊。
- 2 顆牛番茄──切塊。
- 2 顆甜椒──切塊。
- 適量白花椰菜──切成小朵。

調味料

- 適量鹽
- 適量黑胡椒

作法

1 少許油熱鍋後，將棒棒腿入鍋，煎至表層呈金黃色，起鍋備用。

2 同一鍋，補少許油，加入蒜頭爆香。

3 加入洋蔥炒至變透明狀後，接著加入牛番茄與甜椒，拌炒至略軟。

4 將棒棒腿鋪在上方，並將白花椰菜一起放入鍋中，蓋鍋以小火悶煮約30
分鐘。

5 打開鍋蓋，確認食材煮熟燉軟後，把寶寶適合吃的食材酌量取出，再參
考一條龍副食品料理使用說明，處理成寶寶餐點。

6 加入適量鹽及黑胡椒，大人版本即完成。

─────────────── TIPS ───────────────

也可加蘑菇、櫛瓜、玉米筍。

鑄鐵鍋因為密合度高，鍋中水氣不易跑出，特別適合做無水料理，可將食材的原汁原味徹底逼出來。若沒有鑄鐵鍋，也可用一般鍋具悶煮，只要補一點水，確保鍋中食材沒乾燒即可。

打開鍋蓋，確認食材煮熟燉軟後，把寶寶適合吃的食材酌量取出。

再參考一條龍副食品料理使用說明，處理成寶寶餐點。

8m19d

#05

想煮懶人咖哩也有辦法分寶寶吃

野菜南瓜牛肉咖哩

我想應該沒有人不喜歡吃咖哩吧？而且對新手媽媽來說，好不容易把寶寶弄昏，打開冰箱剛好又有一鍋咖哩，真的會有種媽祖顯靈的感覺，竟然隨便就能搞定一餐，也太幸福。

過去我習慣用雞肉咖哩，但老公一直是比較喜歡吃牛肉咖哩的，只是我覺得煮咖哩就是要省事，還要花時間去把牛肉燉爛我可無法接受。直到改用快力鍋，連哥哥都可以輕鬆吃，從此我家幾乎就都吃牛肉咖哩了。

我喜歡在咖哩裡放南瓜，取代馬鈴薯，南瓜燉軟後會化在醬汁裡，讓咖哩更加香甜濃郁，另外還會加點蔬菜，除了紅蘿蔔，也常加玉米筍、櫛瓜、花椰菜、甜豆。咖哩本來就是等所有蔬菜食材都煮熟，最後才加咖哩塊的，所以只要把想給弟弟吃的先撈出來，牛肉咖哩就可以照常上菜啦！

RECIPE

份量：4～5 人份

食材

- 500g 牛肋條——切成約食指長度備用，可順便將多餘油脂切除。
- 1 顆洋蔥——切塊。
- 1/4 顆南瓜——切大塊。
- 1 根紅蘿蔔——切塊。
- 櫛瓜、甜豆或玉米筍適量（也可換成其他蔬菜，像花椰菜、蘑菇、秋葵）
- 咖哩塊 1 包

作法

1　於鍋中加入適量油，熱鍋後將洋蔥放入爆香，炒至透明狀。

2　加入牛肋條，炒至表層熟。

3　加入適量水至約略淹過牛肉，湯汁滾後蓋上鍋蓋，以小火燉一小時。

4　時間到，確認牛肉是否軟嫩，若還不夠就繼續燉，直到筷子可輕鬆穿透。

5　加入南瓜與紅蘿蔔，燉煮10分鐘，再加入其餘蔬菜，煮10分鐘。

6　確認食材煮熟燉軟後，把寶寶適合吃的食材酌量取出，再參考一條龍副食品料理使用說明，處理成寶寶餐點。

7　最後將適量咖哩塊放入鍋中，調至喜歡的濃度，即完成。

— TIPS —

- 我實際上是用快力鍋煮，但因步驟跟番茄/清燉牛肉差不多，就利用這篇改教一般鍋具的做法。
- 因南瓜富含澱粉，我直接給弟弟吃照片中那盤當一餐，沒有另外弄粥。若想給粥飯，可將南瓜拌進去變南瓜粥，其他食材再分別給寶寶嘗試。

#06

最簡單的豪華盛宴

壽喜燒

大學時我跟家人去日本旅遊，導遊帶我們去吃壽喜燒，我爸媽以為就像吃火鍋那樣，醬汁全下，把所有東西都丟進去煮熟就對了，讓一旁的導遊手刀衝過來說母湯喔。吃壽喜燒時，在食材上淋點醬汁就好，雖然一開始感覺乾乾的，但很快地蔬菜們就會出水，除非吃到後半段

FIRST TRY
8M 4D

覺得越煮越鹹，才會需要加水稀釋。

像這種食材本身就很豐富的料理，特別適合用一條龍的精神，分一些給寶寶吃。但標準作法一開始就要下醬料，那在寶寶還不太能吃調味料的階段，要怎麼變通才能一石二鳥呢？

我的作法很簡單，就是把要給寶寶吃的食材，放入另一個小鍋，加入無鹽柴魚高湯把料煮熟。反正料都備了，我只是分成兩鍋而已，一點也不麻煩。

寶寶版煮熟後就可以把食物剪成適口大小，同時取些湯汁淋在米粥上，寶寶豐盛又營養的一餐就搞定了。而大人版的料理過程完全不受影響。

帶孩子帶到灰頭土臉時，趁週末煮一鍋能大口吃肉的壽喜燒吧，在我心中是最簡單的盛宴啊！

RECIPE

份量：4～6 人份

食材｜ 壽喜燒常見食材如下，依個人喜好準備即可

- 牛肉片
- 洋蔥——適量切絲。
- 各種菇都可以
- 日本大蔥，買不到的話就用青蔥
- 玉米筍
- 包心白菜
- 木棉豆腐或板豆腐——切片後用平底不沾鍋乾煎，把兩面煎到金黃色，
  吃起來口感更好。
- 牛蒡
- 蒟蒻絲
- 紅蘿蔔
- 烏龍麵或白飯
- 新鮮生雞蛋（沾牛肉用，可省略）

醬汁｜ 此為清爽版本，可依個人口味調整

- 50ml 醬油
- 50ml 味醂
- 50ml 清酒或米酒
- 15g 白砂糖
- 50ml 水

取一個小鍋，將上述調味料及水放入鍋中，以小火煮至糖融化即可。

作法

○大人版

1　以少許油熱鍋後，加入洋蔥炒至軟。

2　將肉片以外的食材，放入鍋中，倒入適量醬汁後，蓋上鍋蓋，以小火燉煮約10分鐘，讓蔬菜出水、軟化。

3　蔬菜都熟得差不多後，就可以加牛肉進去煮，準備開動，過程中覺得味道太淡就補醬汁，太鹹就補水，很隨意。

○寶寶版

1　主鍋的洋蔥炒軟後，另取一小鍋，將部分洋蔥分過來，接著放入牛肉以外的食材，加入適量無鹽柴魚高湯，蓋上鍋蓋悶煮至蔬菜出水，再涮幾片牛肉給寶寶。

2　參考一條龍副食品料理使用說明，處理成寶寶餐點。

○老嬰的輕調味版──壽喜燒蓋飯

針對已經會嚐點調味料的老嬰，也可用一條龍的方法讓他們吃輕調味版。步驟如下：

1　以少許油熱鍋後，加入洋蔥炒至軟。

2　將肉片以外的食材，放入鍋中，蓋上鍋蓋，以小火燉煮約10分鐘，讓蔬菜出水、軟化。

3　蔬菜都熟得差不多後，就可以加牛肉進去煮，起鍋前淋少許寶寶醬油，再滾一下，即可將要給寶寶吃的食材取出，剪成適口大小鋪在米飯上，變成非常好吃的壽喜燒蓋飯。

4　由於老嬰版的調味只有用少許寶寶醬油，大人要吃時，在鍋裡補點食材，淋上大人版的醬汁，就可開始享用。

FIRST

1Y

#07

孩子愛上南瓜的祕訣

南瓜栗子燉肉末

南瓜是很熱門的副食品食材,但隨著孩子長大,在某個不明的瞬間,
似乎就突然被嫌棄了。可能比起西式跟日式料理,台灣菜不算常用到
南瓜。所以當孩子從副食品畢業,在日常飲食就不太會吃到了。後來
偶爾遇到難免覺得你哪位啊,像是早已生疏的青梅竹馬。

FIRST TRY

1Y4M

像哥哥就只肯喝我煮的南瓜湯，其他料理只要被他發現有南瓜，他會不斷乞求上蒼不要讓他吃到。我跟身邊媽友市調，普遍也聽到他們的孩子討厭南瓜，可見南瓜在很多孩子心中雖然一度為王，卻很快就跌落神壇。

為了擴大樣本數，我還跑去問哥哥幼兒園廚房的阿姨。她煮飯給孩子吃少說20年了，很懂小孩的各種毛。我問她小孩是否都不太喜歡南瓜，她說如果是帶皮、一塊塊的，小孩真的不太愛，但如果煮到化開，小孩都蠻愛的。

小孩就是這樣，他們對食物喜好的界線是很模糊的，與其說挑食材，更多時候他們是在挑食材呈現的型態。舉個例，很多小孩愛吃薯條，卻完全不肯吃咖哩飯裡面的馬鈴薯，就算跟他們說薯條就是馬鈴薯做的喔（語調上揚），他們聽了只覺得所以咧？（低頭繼續把馬鈴薯挑開）

了解小孩這個面向後，會更明白不要輕易幫孩子貼上不喜歡吃XXX的標籤，可以試著變化料理方式，有時小孩就愛上了。

南瓜栗子燉肉末，就是吸引小孩愛上南瓜時，進可攻退可守的一道料理。鍋裡的南瓜雖然是塊狀，但已經燉成一壓就化成泥的狀態。在弄給小孩吃時，可以把部分南瓜壓碎，跟肉混著一起給小孩吃，也可以把南瓜拌進粥飯裡，小孩感受到南瓜甜甜的滋味，通常就投降了。除此之外，別忘了夾幾塊南瓜，讓孩子直接吃吃看，從寶寶時期就這樣練習，他們對南瓜的接受度會大增喔！

RECIPE

份量：3～4 人份

食材

- 1/2 顆洋蔥——切丁。
- 約 300g 南瓜——可依個人喜好調整，我自己是用 1/4 顆南瓜，以刨刀將南瓜皮削除後，切大塊。
- 300g 雞腿或雞胸絞肉
- 1 把去殼栗子
- 1 根紅蘿蔔——切小塊。
- 1 把荷蘭豆、甜豆或四季豆

調味料

- 400ml 無鹽柴魚高湯
- 少許醬油

作法

1　以少許油熱鍋後，加入洋蔥炒至透明狀。

2　加入雞腿或雞胸絞肉，拌炒至表層變白。

3　加入紅蘿蔔，拌炒1～2分鐘。

4　加入柴魚高湯，將南瓜及栗子鋪在上方，待高湯微滾後，蓋鍋以小火燉煮30分鐘。

5　加入荷蘭豆，再蓋鍋約5分鐘，讓荷蘭豆熟。

6　把寶寶適合吃的食材酌量取出，接著參考一條龍副食品料理使用說明，處理成寶寶餐點。

7　加入適量醬油調整成喜愛的鹹度，大人版即完成。

幫弟弟用一條龍料理做冰磚便當時，我通常會將食材完整取出再分開放，方便我幫弟弟變化吃的型態。

把寶寶適合吃的食材酌量取出，接著參考一條龍副食品料理使用說明，處理成寶寶餐點。

―――――――― TIPS ――――――――

🌼 照片中給弟弟吃的飯，我是將南瓜跟栗子用搗泥器壓碎，再拌進飯裡，也有淋一點湯汁，增加香氣。

🌼 栗子即便蒸軟，對月齡小的寶寶來說還是不太好咬，可以先切碎後再過篩，就可以變成栗子泥，跟南瓜一起拌進飯裡，超好吃！

#08

讓寶寶大滿足的手指食物

番茄洋蔥燉雞翅

有了小孩後我蠻常煮雞翅料理，小小根的丟進他們餐盤裡，比較不會
讓他們覺得壓力山大，有種「這個我可以」的自信感（挺）。

而且雞翅很適合讓小孩拿在手上自己啃來啃去，對已經開始吃手指食
物的寶寶來說，更是超棒的練習食物，一次燉一鍋，吃剩的分裝冷凍
起來，就很方便不時幫寶寶加菜，讓他隨時有肉啃！

FIRST TRY

1Y

RECIPE

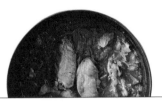

份量：3～4 人份

食材

- 4 顆牛番茄──切塊。
- 1 顆洋蔥──切丁。
- 翅小腿＋翅中（約各 10 根）

調味料

- 適量鹽
- 適量黑胡椒

作法

1 以少許油熱鍋後，加入洋蔥丁炒至焦黃色。

2 加入番茄塊，炒至番茄變軟出水。

3 直接放入雞翅，蓋鍋以小火悶煮約一小時，即完成。

4 把寶寶適合吃的食材酌量取出，接著參考一條龍副食品料理使用說明，處理成寶寶餐點。

5 大人要吃的部分，另外以適量鹽及黑胡椒調味即可。

TIPS

- 因為番茄很多汁，燉煮過程無需加水，悶煮時自然會逼出很多水分，變成如照片中的湯汁。但若鍋子密合度較差，燉煮過程中會因水氣不斷噴出、湯汁會比較乾。若中途發現湯汁偏少的話，可自行補點水，讓雞翅能繼續泡在湯汁裡燉煮即可。

- 翅中的肉會比較嫩，如果寶寶還不是很會咀嚼肉，可先取這部分的肉餵他。

剩餘的番茄洋蔥湯料，可以打一打變成濃湯，撒點鹽跟黑胡椒，再淋點初榨橄欖油，超像義式餐廳裡的湯品。當然，也別忘了給寶寶喝點原味版喔～

可以一次做多一點，將雞翅分裝冷凍；也可加入粥飯後，用食物分裝盒保存。

記得撈一些番茄洋蔥醬汁，拌進粥飯裡，會非常好吃！

FIRST TRY

8M14D

#09

同時攝取蔬菜與油脂

橄欖油蒸時蔬

在前面的觀念篇有提到,讓寶寶從副食品適度攝取到油脂是非常重要的,才不會便祕。

而這道橄欖油蒸時蔬,就是一個能快速讓寶寶吃到多種根莖蔬菜、同時攝取油脂的好方法!這次使用的食材為南瓜、玉米、馬鈴薯、甜椒、櫛瓜,另外像白花椰菜、紅蘿蔔、玉米筍、蓮藕、竹筍,可隨意依照當令食材或自己的喜好挑選蔬菜。

我是使用鑄鐵鍋無水料理的作法,把食材切好放入鍋中,淋適量橄欖油後抓一抓,蓋上鍋蓋用小火悶煮,依食材特性,悶煮30～40分鐘不等,不確定的話可以隨時打開鍋蓋確認食材熟度。

蔬菜悶軟後,把要給寶寶的先夾出來,剪成適口大小,大人的再另外以鹽跟黑胡椒調味。有了這鍋蒸蔬菜,只要再煎個鮭魚或雞腿排等肉排,營養均衡的一餐很快就能備好,再忙都做得出來。

RECIPE

食材

- 適量南瓜──切塊。
- 適量玉米──切塊。
- 適量馬鈴薯──切塊。
- 適量甜椒──切塊。
- 適量櫛瓜──切塊。
- 適量橄欖油

食材

- 適量鹽
- 適量黑胡椒

作法

1　把食材切好放入鍋中，淋適量橄欖油後抓一抓。

2　依食材特性，悶煮30～40分鐘。

3　蔬菜悶軟後，把要給寶寶吃的先夾出來，接著參考一條龍副食品料理使用說明，處理成寶寶餐點。

4　大人要吃的再另外以鹽跟黑胡椒調味。

─── TIPS ───

- 因為南瓜、馬鈴薯、玉米就有充分的澱粉，我只另外再蒸一塊鮭魚給弟弟配著吃。

- 沒有鑄鐵鍋的話，也可以把蔬菜用油拌勻後，用電鍋或是其他方式蒸，成果一樣好吃。

#10

超簡單的 fancy 料理

檸檬蛤蠣紙包魚

紙包料理看起來好像很fancy，但其實是最簡單的一種料理方式，只要把食材全都丟進去，包一包，就可以直接送進烤箱，全程不用開火、零油煙。

這種烹調方式特別適合要邊顧小孩的媽媽，小孩就算巴在腿邊哭，我們的腰部以上是可以鎮定地把這道菜準備好，丟進烤箱後就海闊天空。

半小時後打開，魚已經被蒸烤到十分軟嫩，蛤蠣的湯汁則伴著微微蒜香，光聞就覺得鮮。我另外還搭配耐蒸煮的四季豆及小番茄，以及很適合寶寶吃的豆腐，只要再加個粥飯或麵包，這餐就什麼都有了。喔我家裡剛好有香菜，就丟了一小把提味，也有擠點檸檬，這都是順手而已，沒有的話不需要特別準備。

這招記得學起來喔，那麼輕鬆的事為什麼不試試看，別讓我失望喔（情緒勒索）。

RECIPE

份量：2～3 人份

食材

- 1 尾中型白肉魚——挑魚刺偏少的，比較方便跟小孩共食。
- 10 多顆蛤蠣
- 1 把小番茄
- 1 把四季豆
- 1/2 盒嫩豆腐——切塊。
- 2 瓣蒜頭——切片。
- 香菜（也可用九層塔、蒜苗、蔥提味，但沒有的話就算了）

作法

1 取一大張烘焙紙，先將魚放入，再將其他食材鋪在上面。

2 將紙上下兩側闔上，往下捲在一起後，再將左右兩側也捲起來。

3 烤箱200度預熱後，即可放入，烤20～30分鐘，即完成。

4 把寶寶適合吃的食材酌量取出，接著參考一條龍副食品料理使用說明，處理成寶寶餐點。

—————————————— TIPS ——————————————

- 因為蛤蠣湯汁會鹹，我就沒有另外調味，口味比較重的大人，可以另外自己加點鹽跟黑胡椒。
- 我有淋點湯汁到弟弟的粥裡，也有把小番茄剪碎拌進去，這樣光粥就超好吃。
- 四季豆口感比較脆，弟弟當時沒有辦法吃很多，只能多少嚐一些，但我覺得無妨，就是給他嘗試看看。
- 也可加櫛瓜、甜豆、白花椰菜、秀珍菇。
- 不愛吃魚的，也可改用去骨雞腿肉。

two

拌什麼都好吃的
萬用絞肉料理

絞肉真的很萬用，拌飯拌麵都美味，一次
做好分裝冷凍，是媽媽的超好後援；拌入
寶寶的米粥中，就是營養美味的主食！

JUST TRY
7M 23D

#01
出場率極高的美味
香菇雞肉燥

在規劃一條龍料理的菜單時,香菇肉燥被我放了又刪,刪了又放。會這樣龜毛,是因為香菇肉燥在我們家出場率很高,拌飯拌麵都行很方便,如果可以讓弟弟也吃,對我很省事。

但這種台灣小吃風味的料理,想想還是會覺得跟副食品好像有點八竿子打不著,我硬要給弟弟吃會不會有點勉強。

不過二寶媽就是這樣,為了能輕鬆點,

什麼事都幹得出來。我還是決定也讓弟弟嚐嚐香菇肉燥。當然調味就全省了,只靠香菇、大蒜跟肉汁的香氣,另外米粥我是用雞高湯取代水去煮的,所以粥也有一點雞湯香。

就這樣把無調味的香菇雞肉燥淋在雞湯粥上,說真的,還真香,至少對寶寶來說,已足以讓他們的味蕾得到很多刺激。另外弄點青菜,寶寶就可以跟著我們一起吃香菇肉燥飯了,多開心啊!

RECIPE

份量：4～5人份

食材

- 300g 雞胸或雞腿絞肉一包，也可用低脂豬絞肉
- 4～5 顆蒜頭或紅蔥頭──蒜頭拍碎切丁，紅蔥頭則切薄片。
- 4～5 朵乾香菇──用水泡軟後，將水擰乾後切丁，香菇水留著。

調味料

- 適量醬油
- 少許米酒或紹興酒
- 少許冰糖
- 少許五香粉（可省略）
- 少許白胡椒鹽（可省略）

作法

1 以少許油熱鍋，加入蒜頭爆香。

2 緊接著放入香菇，炒到香菇的香氣也出來。

3 加入雞絞肉拌炒至熟。

4 加入香菇水（記得另外補水到可約莫淹過食材）後，燉煮15～20分鐘。

5 待食材的味道融合在一起後，即可將寶寶要吃的份量取出，記得也要取一點湯汁。接著參考一條龍副食品料理使用說明，處理成寶寶餐點。

6 於原鍋，加入上述調味料，調整至自己喜歡的鹹度，再燉煮約10～15分鐘，大人愛吃的香菇雞肉燥即完成。

─── TIPS ───

● 香菇比較有嚼勁，剪碎一點再給寶寶吃。

#02
老少咸宜的萬用料理
番茄義大利肉醬

義大利肉醬麵是非常老少咸宜的料理，這樣小小一坨卻塞了多樣營養食材的好料，當然也要給弟弟享用。不過其實牛絞肉有一個蠻重的牛味，要靠義大利紅醬或是番茄罐頭那種濃郁的醬汁才能調和過去，我甚至還會加點番茄醬，補點甜味，讓小孩更愛吃。

FIRST TRY
8M12D

給弟弟吃的，總不好這樣調味，所以照慣例，我是在料炒熟、下調味料前，就先把弟弟的起鍋。本來想說靠洋蔥跟番茄的甜，成果應該還可以，但我嚐了一口，覺得那牛味我真是不能接受，便轉身去冰箱拿顆蘋果，切幾塊丟進弟弟的小鍋燉，等燉軟爛後，用湯匙壓碎、跟醬汁混合，味道當場溫和許多，弟弟的版本就這麼定了！

這個寶寶版的義大利肉醬，有好幾種的變化方式，最基本的就是拌入米粥裡，變成番茄牛肉粥，再另外給寶寶準備蔬菜，一餐的營養就很均衡。

等寶寶月齡大一些，也可以拿這肉醬拌寶寶麵、烏龍麵、寶寶義大利麵，或是做成燉飯、焗飯，也可以作為吐司餡料，總之非常萬用。所以我每次都會留一些肉醬做冰磚，忙的時候很快就能變出一餐。

推薦這個萬用肉醬給大家，無論家中有老嬰或嫩嬰，都可以煮一鍋，輕輕鬆鬆讓一家老小都有得吃！

RECIPE

份量：5～6 人份

食材

- 500g 牛絞肉
- 1 顆洋蔥──切丁。
- 10 多顆蘑菇──切片。
- 1/4 顆蘋果──切小塊。
- 2 顆牛番茄──切塊。
- 數顆蒜頭──切丁。
- 1 根紅蘿蔔──刨絲。

調味料

- 義大利麵紅醬──1 罐（一般超市都有賣進口的義大利麵紅醬，加一罐進去，味道就差不多搞定了，很方便）
- 適量鹽
- 適量黑胡椒
- 適量番茄醬（若喜歡醬汁偏酸可省略）

作法

1　以適量初榨橄欖油熱鍋後，加入蒜頭及洋蔥爆香，炒至洋蔥變透明狀。

2　加入紅蘿蔔及蘑菇，炒至紅蘿蔔變軟，蘑菇出水。

3　加入牛絞肉炒至熟。

4　加入番茄丁炒至軟。

5　此時先把寶寶要吃的份量取出，放入另一個小鍋，並將蘋果丁放入鍋中，蓋上鍋蓋以小火悶煮。

6　寶寶的肉醬，待蘋果燉軟後，拿個叉子壓成果泥混入醬汁，即完成。

7　參考一條龍副食品料理使用說明，處理成寶寶餐點。

8　倒入義大利紅醬，以適量鹽及黑胡椒調味，若喜歡帶點甜味，可以再加一點番茄醬，調至喜歡的口味，即完成。

寶寶的肉醬，待蘋果燉軟後，拿個叉子壓成果泥混入醬汁，即完成。

FIRST TRY

1ʏ1ᴍ

#03
吃不成麻婆豆腐就轉個彎
和風肉末豆腐

其實發想這道食譜時，我滿腦子是想著麻婆豆腐。麻婆豆腐是我很愛的一道料理，但偏偏我們家哥哥非常怕辣，是連吃到一粒胡椒都會跳起來討水喝的那種怕，搞得我很久沒有煮麻婆豆腐了。

後來多了弟弟，又想要一條龍跟他共食，麻婆豆腐在我的世界裡，就像顆飄得越來越遠的氣球，我只能偶爾在餐廳點盤來過過癮了。在家跟孩子吃不了正港的麻婆豆腐，但我很喜歡這道料理的烹調概念，總想著能怎樣調整，變成兄弟也愛吃的口味，於是就生出這道和風肉末豆腐了。我趁弟弟午睡時煮了一大鍋，晚餐一家四口一下就分食光。雖然不鹹不辣，口味跟心愛的麻婆豆腐扯不上邊，但也實在是夠好吃了，為了兄弟，這幾年就先吃這個版本吧！除了毛豆比較需要咀嚼，要等寶寶大一點，其他食材都很適合給小寶寶直接吃，淋一些肉末在米粥上，豆腐可以另外給，這樣就好好吃呢！

份量：3～4人份

食材

- 300g 細絞豬絞肉（只買得到粗絞的話也可以）
- 1/2 顆洋蔥——切細丁。
- 1 根紅蘿蔔——剉籤。
- 2～3 瓣蒜頭——切碎。
- 3～4 塊板豆腐或 1 盒嫩豆腐——切塊。
- 1 把毛豆
- 400ml 無鹽柴魚高湯

調味料

- 少許醬油

作法

1　以少許油熱鍋後，加入洋蔥拌炒至透明狀。

2　加入紅蘿蔔炒至軟。

3　加入蒜末炒至蒜頭香氣飄出。

4　加入豬絞肉，拌炒至肉變白。

5　加入柴魚高湯，待高湯微滾後，加入豆腐與毛豆，蓋鍋燉煮10分鐘。

6　待食材味道融合在一起，即可將寶寶要吃的份量取出，取一點湯汁，淋在粥飯上。接著參考一條龍副食品料理使用說明，處理成寶寶餐點。

7　加入少許醬油調味，大人版即完成。

━━ TIPS ━━

- 肉末可以做成冰磚，但豆腐就當餐吃掉，不然冷凍後質地會變。
- 也可加入南瓜燉煮，變成南瓜肉末豆腐。

#04

偷吃步也超好吃

焦糖洋蔥肉豆腐

洋蔥的甜正是最適合誘拐嬰童的好武器。要讓洋蔥的甜徹底爆炸，炒到焦糖化的效果會最好，洋蔥湯就是把洋蔥炒到變焦糖色，再加高湯去煮成的。

但要把洋蔥炒到焦糖化很耗時，要媽媽花那麼多時間顧火拌炒實在太不人道了。為了省時，有一個偷吃步的小辦法，就是把洋蔥丁先用電鍋蒸軟，再用少許油炒。這樣時間會縮短許多，而且蒸過的洋蔥帶點水分，拌炒時比較不

用擔心一個不留神就燒焦，可邊做其他事，隔個幾分鐘翻炒一下就好。這鍋融合了洋蔥的甜、肉汁的濃醇跟柴魚高湯的淡雅香氣，豆腐也因為吸滿這些湯汁而變得美味。

如此一來，不調味，對寶寶來說已非常美味。把寶寶的搞定後，只要加點醬油再煮一下，就會變成大人也愛的鹹甜下飯菜，拿來拌飯、拌麵或是當配菜皆可，十分萬用！

RECIPE

份量：5～6人份

食材

- 1 顆洋蔥——切小丁後，放入大同電鍋，外鍋加一杯水蒸熟。
- 300g 低脂豬絞肉
- 3～4 塊板豆腐——切大塊。
- 400ml 無鹽柴魚高湯

調味料

- 適量醬油

作法

1 熱鍋後不要加油，直接把洋蔥放進去，以中小火先把蒸出來的水分炒乾。

2 接著加入少許油，繼續拌炒至焦黃色。

3 將豬絞肉放入鍋中炒至熟。

4 加入柴魚高湯及板豆腐，燉煮20分鐘。

5 待食材的味道融合後即可將寶寶要吃的份量取出，記得也要取一點湯汁淋在粥飯上。接著參考一條龍副食品料理使用說明，處理成寶寶餐點。

6 加適量醬油至鍋中，調味至喜愛的鹹度，再以小火燉煮10～20分鐘入味，大人的版本即完成。

───── TIPS ─────

- 照片中給寶寶吃的肉燥，是因為洋蔥已經炒到焦糖化，熬煮一下湯汁就變成琥珀色，不是加了醬油喔。

- 洋蔥肉燥可做成冰磚，但豆腐冷凍後會變凍豆腐，就別了，當餐吃一吃就好。

FIRST TRY

9M10D

#05

滋味豐富營養滿分

九層塔番茄炒雞肉

我發現很多小孩雖然很喜歡番茄醬，卻一點都不喜歡新鮮番茄所煮出來的料理。番茄最大的特色是可生吃也可熟食，而當煮得夠透，讓小孩害怕的酸味就會降低，甜味就會跑出來，所以關鍵在於熟度的掌握，炒到爛爛的就對了。

另外一個可以幫助番茄變得kids friendly的祕訣，就是跟洋蔥搭在一起，炒熟的洋蔥香甜無比，會連帶把番茄也變更好吃。

掌握這兩個小技巧，所煮出來的番茄口味料理，好吃程度會大大提升，很適合作為一個基礎口味去變化各種料理給寶寶吃。

這篇所示範的食譜，除了番茄跟洋蔥，我還加了九層塔跟玉米粒，光這些東西炒在一起，味道就很豐富。在調味前挖一大匙，拌進米粥裡，弟弟就吃得非常開心。大人的版本，也只要最後加一點醬油，營養美味的下飯菜就搞定。

RECIPE

份量：3～4 人份

食材

- 300g 雞腿或雞胸絞肉
- 1 顆牛番茄──切小塊。
- 1/2 顆洋蔥──切丁。
- 1 瓣蒜頭──切碎。
- 1 把九層塔──去掉粗梗。
- 適量玉米粒（可省略）

調味料

- 少許醬油

作法

1 以少許油熱鍋後，加入洋蔥拌炒至透明狀，加入蒜末爆香。

2 加入番茄炒至變軟爛後，加入雞絞肉炒至表層變白。

3 加入玉米粒跟九層塔，炒至九層塔變小。

4 將寶寶要吃的份量取出，接著參考一條龍副食品料理使用說明，處理成寶寶餐點。

5 加入少許醬油，調到喜歡的鹹度，大人的版本即完成。

─── TIPS ───

- 我是把一根新鮮水果玉米粒刨下來加進去炒，所以玉米粒顏色有點黯淡，是米白色的品種。若用新鮮的，入鍋後就要多炒一下，讓玉米變熟。也可直接使用無鹽玉米粒，會方便很多。

- 也可以放切小段的玉米筍或是切丁的櫛瓜，都很搭。

three

越忙越該燉鍋
療癒系熱湯

暖暖熱熱的湯品，在餐桌上往往扮演畫龍點睛的角色，雖不是主角，但其實用一條龍料理的手法，分給寶寶吃也非常合適！

FIRST DAY

7m19d

#01

香甜無比一喝就愛上

山藥雞湯

以前我並沒有愛喝山藥雞湯或山藥排骨湯,因為我覺得喝起來根本就沒什麼味道啊,直到我婆婆教我要加當歸片,立馬有畫龍點睛的效果,再加上滿滿的紅棗與枸杞,整鍋湯甜到不行,完全不用調味就非常香醇好喝,讓人一喝就愛上。

山藥在台灣的日常料理中不算常客,想給寶寶嘗試山藥的話,那燉一鍋山藥雞湯肯定是最方便的。

燉好後,我會把紅棗、枸杞剪碎拌入粥飯裡,再淋一些雞湯,香甜無比的雞汁粥就搞定了。配上燉到軟嫩的雞肉與鬆軟的山藥,輕輕鬆鬆就可以分食給寶寶吃!

RECIPE

份量：4～5 人份

食材

- 1 根帶骨雞腿肉（約 500g）──切塊汆燙。
- 適量山藥（約 1/2 根）──切大塊。
- 10 多顆紅棗──以水沖過，用手把表層轉開。
- 1 把枸杞──以水沖過。
- 1～2 片當歸片──以水沖過。

作法

1　水煮滾後，將雞肉、山藥、紅棗、當歸片，放入鍋中，水再次滾時，撈起表層浮沫，轉小火燉煮30～40分鐘。

2　將枸杞放入鍋中再滾一下，即完成。

3　把寶寶適合吃的食材酌量取出，接著參考一條龍副食品料理使用說明，處理成寶寶餐點。

──── TIPS ────

- 削山藥時務必戴手套處理，因為山藥的黏液對皮膚非常刺激，容易引起過敏喔！

#02

無比省事的一條龍好料

牛蒡玉米雞湯

以前幫哥哥弄副食品時，我經常會燉一鍋蔬菜雞湯，再把雞湯留著給他做粥的高湯底。但現在買得到無鹽的雞高湯，要做雞湯粥我就直接用那個就好，省事超多。

雖然不再需要自己熬雞高湯，我還是不時會燉鍋蔬菜雞湯，把裡面的料剪一剪，再配個米粥就可以把弟弟的一餐順便解決掉，堪稱一條龍系列裡面最最最省事的方法。

這牛蒡玉米雞湯我煮了無數次了，熬出來的湯除了有牛蒡特殊的香氣，還有紅蘿蔔跟玉米的甜味，不用調味大人也會覺得相當好喝，營養更是滿點。

牛蒡口感偏硬，一般寶寶不太能接受，但因為已經在湯裡被熬到軟，切碎點就可以給寶寶嘗試，至少我們弟弟很願意吃，找機會試試看吧！

RECIPE

份量：4～5 人份

食材

- 1 根帶骨雞腿肉（約 500g）──切塊汆燙。
- 1 根紅蘿蔔──切塊。
- 1 段牛蒡──削皮切塊，置於水中（才不會黑掉）。
- 1 根甜玉米──切段。

作法

1 將水煮滾，放入所有食材，待水滾後，轉小火燉煮約一小時，即完成。

2 把寶寶適合吃的食材酌量取出，接著參考一條龍副食品料理使用說明，處理成寶寶餐點。

─── TIPS ───

- 玉米對寶寶來說不太好咬，可以盡量切碎一點。
- 燉湯時冰箱裡剛好有茭白筍，就順便丟進去一起燉了，湯裡那不明白色物品就是茭白筍啦哈哈哈。

7M2D

#03

甜到驚人的家常湯品

香甜水梨雞湯

水梨季到的時候，我的冰箱總會自動冒出一顆顆水梨，好像我家自己有在種一樣。會這樣其實是因為水梨是很熱門的伴手禮，可能是我老公在公司收到，或是家人好友分送，高峰期簡直覺得才送走一個又來三個。

台灣水梨香甜多汁，果肉細嫩，真的很好吃，但一次來太多會讓我消耗得很有壓力。有次靈機一動，拿一顆來燉雞湯，湯頭一喝真是甜到嚇死人，感覺水梨的甜都灌進湯裡，從此成為我的家常湯品之一，不時還會自己去買來燉呢。我的水梨雞湯裡面除了蔥跟薑，還加了紅蘿蔔跟紅棗。煮一鍋，除了大人可以喝，還可將燉軟的水梨搗碎、紅棗剪碎，拌進米粥裡，再淋一些雞湯，寶寶很難不愛上的香甜水梨雞湯粥就做好了。雞肉我會另外將肉絲剝下來，直接給弟弟吃，但如果是咀嚼肉還有點吃力的階段，當然可以把肉剪碎一些，拌進粥裡讓寶寶一起吃囉。

RECIPE

份量：4～5人份

食材

- 1 顆水梨──去皮切長條塊。
- 1 根帶骨雞腿肉（約 500g）──切塊汆燙。
- 1 根紅蘿蔔──切塊。
- 5～6 顆紅棗──洗淨瀝乾後，轉一下讓皮裂開。
- 2 根蔥──切段。
- 2～3 片薑

作法

1　將水煮滾，放入所有食材，待水滾後，轉小火燉煮約一小時，即完成。

2　把寶寶適合吃的食材酌量取出，接著參考一條龍副食品料理使用說明，處理成寶寶餐點。

───── TIPS ─────

● 將寶寶所需的份量取出後，大人的部分可再加點鹽提味，但你很有可能覺得原味就夠好喝了。

#04
用料單純卻層次豐富
吉利娃娃湯

我不是一個很會煲湯的人,所以我端出來的湯,一定是有一個清楚明白的邏輯。就像這碗吉利娃娃菜雞湯,每樣食材出場的原因都很明確,完全沒有讓人看不懂為什麼要加OO的那種高深莫測感。用帶骨雞腿切塊去熬煮,是想在喝到清甜湯頭之餘,也能啃點肉。用娃娃菜,是為了能順便吃點菜,而且這菜必須耐煮。用蛤蠣,是因為懶得調味,省一件事。切了點薑片,是為了提味,同時去一下蛤蠣的腥。

這碗講不出什麼大道理的湯,卻讓我連過年都想煮。在大魚大肉之後,能喝到這樣一碗湯,就是有種說不上來的療癒感。而這鍋湯用料單純,卻有菜有肉,我忙的時候,就燉一鍋,另外弄個麵線,也就是一餐了。

這鍋湯,沒有不分給弟弟吃的理由。湯熬好後,把娃娃菜跟雞肉剪碎,再拌一點湯到米粥裡,讓弟弟嚐嚐蛤蠣的鮮鹹,弟弟就這樣跟著我們吃飽了。

RECIPE

份量：3～4 人份

食材

- 1 根帶骨雞腿肉（約 500g）──切塊汆燙。
- 6 株娃娃菜
- 10 多顆蛤蜊──吐沙。
- 2～3 片薑

作法

1　水煮滾後，將雞腿肉切塊跟薑放入鍋中，撈除浮沫後，蓋上鍋蓋以小火燉煮30～40分鐘，燉到雞油被熬出，湯的表面有點黃澄澄的狀態。

2　加入娃娃菜，繼續燉煮10～15分鐘，將菜煮軟。

3　加入蛤蜊，待殼被煮開後，即完成。

4　把寶寶適合吃的食材酌量取出，接著參考一條龍副食品料理使用說明，處理成寶寶餐點。

#05

深夜食堂教我的美味

蔬菜雞肉味噌湯

以前我不太常煮味噌湯，說起來就是覺得自己煮的沒那麼好喝，清清淡淡很無趣。直到我看深夜食堂後，才知道原來料要先炒過，而且要用柴魚高湯。恍然大悟後，我變得非常愛煮味噌湯，特別是加了肉的版本，湯頭因肉的油脂閃閃發光，讓湯頭更為濃郁。

除了肉之外，慢慢的我也開始越加越多蔬菜，讓它變成有菜又有肉的豐富的湯品。忙的時候，我會趁白天空檔煮好一鍋，晚上再烤條魚配飯，蔬菜直接吃湯裡的就很夠，吃飯就是可以那麼簡單。

這樣的內容，特別適合在下味噌之前，分一些給寶寶吃。蔬菜因為在柴魚高湯裡充分熬煮，甜味徹底釋放。至於肉，通常會用豬五花薄片，但那對寶寶來說太油，我改用雞腿肉。雞腿肉有足夠的油脂讓湯更好喝，對寶寶來說也不會過油，一切恰到好處啊！

FIRST TRY
8M16D

RECIPE

份量：3 ～ 4 人份

食材

- 1 片去骨雞腿排──去皮後切小塊。
- 1 顆包心白菜或 1/4 顆高麗菜
- 1/2 顆洋蔥──切絲。
- 1 節白蘿蔔──切薄塊。
- 1 根紅蘿蔔──切塊。
- 1 段牛蒡──切薄片。
- 3 ～ 4 朵生香菇──切薄片。

其他

- 適量無鹽柴魚高湯（可先備 400 ～ 500ml，不夠再直接加水）
- 適量味噌

作法

1　以少許油熱鍋後，加入洋蔥爆香。

2　加入雞腿肉炒至表層熟。

3　加入紅白蘿蔔、牛蒡及生香菇，略作拌炒。

4　加入包心白菜或高麗菜，拌炒至略軟，接著將高湯加至鍋中八分滿，待湯汁滾後，蓋上鍋蓋轉小火熬煮20分鐘，將蔬菜煮軟。

5　把寶寶適合吃的食材酌量取出，接著參考一條龍副食品料理使用說明，處理成寶寶餐點。

6　取適量味噌放入鍋中攪散，調整至喜愛的鹹度，即完成。

把寶寶適合吃的食材酌量取出,接著參考一條龍副食品料理使用說明,處理成寶寶餐點。

— TIPS —

🥬 蔬菜可以自行做變化,譬如不加香菇改加鴻喜菇,不加牛蒡改加
大蔥,不加包心白菜改用娃娃菜,都可以。量也可以自行依照鍋
子的大小去調整。

9m12d

#06

千變萬化永遠喝不膩

鮭魚豆腐味噌湯

如果有在看日本料理節目或是料理書，會發現他們的味噌湯變化方式大概超過八萬種。加豆腐是一鍋，加海帶是一鍋，加小魚乾又是一鍋，怎麼喝都喝不膩。

這鍋鮭魚豆腐味噌湯，蔬菜一樣塞好塞滿。在下味噌之前，我撈了一些鮭魚肉、高麗菜、豆腐要給弟弟，也剪了一些海帶跟鴻喜菇拌進弟弟的米粥裡，當然也沒忘記要淋一些高湯進去。弟弟豐盛的晚餐，光靠這鍋湯就完成了，為母的怎能不感動呢！

RECIPE

份量：？～？人份

食材

- 1 片鮭魚頭（鮭魚頭也有一些肉，要分給寶寶吃很剛好，不方便買的話，也可使用其他部位的鮭魚）——將帶肉的部分切塊後，淋滾水去腥。
- 1/2 顆洋蔥——切絲。
- 1/4 顆高麗菜——剝成小片。
- 1 盒嫩豆腐——切塊。
- 適量鴻喜菇
- 1 把乾海帶芽——以水泡開備用。

其他

- 適量無鹽柴魚高湯（可先備 400 ～ 500ml，不夠再直接加水）
- 適量味噌

作法

1　以少許油熱鍋後，加入洋蔥拌炒至軟。加入高麗菜與菇菇炒至略軟。

2　加入柴魚高湯，待高湯煮滾後，加入鮭魚。

3　待湯再度煮滾後，撈除浮沫，加入豆腐跟海帶芽，最後再滾一次。

4　將寶寶要吃的食材取出，接著參考一條龍副食品料理使用說明，處理成寶寶餐點。

5　依照個人口味，加入適量味噌，即完成。

——————— TIPS ———————

● 將洋蔥蔬菜先炒軟，會更甜。

#07

常見食材組團迸出新鮮感

ABC湯

我曾在OKAPI專欄寫過幾篇一條龍副食品的食譜（後來太懶了就沒更新哈哈），那時曾有一位馬來西亞的粉絲留言跟我說，他們有道大人小孩都愛喝的營養湯品，叫ABC湯，推薦我試試看。

我聽到馬上Google，這道湯品的食材非常平易近人，就是將紅蘿蔔、馬鈴薯、玉米、洋蔥、牛番茄與豬小排一起燉。而A代表紅蘿蔔富含的維生素A，B代表馬鈴薯、玉米、洋蔥的維生素B，C則是牛番茄的維生素C。

雖然食材看起來不是什麼偶像團體的組合，但他們合在一起卻面面俱到，給孩子最充分的營養。而且料理很妙的就是，就算這些食材你感覺三不五時有弄給小孩吃，可是煮在一起就又創造出屬於他們這團的美味，嚐起來還是很有新鮮感。

這招我很快就用上了，湯熬好後果然不用調味就非常好喝，喝得到番茄的微酸與玉米、洋蔥的甜。把食材剪碎、拌點湯到米粥裡，另外再燙點青菜，弟弟吃飽，我們晚餐的湯也有著落了。

RECIPE

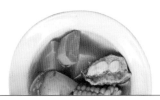

份量：3～4 人份

食材

- 300g 豬小排或帶有肉的排骨──汆燙洗淨。
- 1 根紅蘿蔔──切塊。
- 1 顆馬鈴薯──切塊。
- 1 條玉米──切塊。
- 1 顆洋蔥──切塊。
- 3 顆牛番茄──切塊。

調味料

- 適量鹽

作法

1　於鍋中加水至六分滿，水滾後，加入所有食材，湯滾後轉小火慢燉40～50分鐘，至蔬菜變軟。

2　把寶寶適合吃的食材酌量取出，接著參考一條龍副食品料理使用說明，處理成寶寶餐點。

3　大人要喝的部分，可以依個人口味加點鹽提味。

─── TIPS ───

- 玉米對大多寶寶來說不太好咀嚼，要給的話可以盡量弄碎，甚至過篩，讓寶寶比較好入口。

把寶寶適合吃的食材酌量取出，接著參考一條龍副食品料理使用說明，處理成寶寶餐點。

#08

氣場強大的營養湯品

羅宋湯

湯一般而言是配角,但羅宋湯卻是個存在感非常強烈的湯品,除了有驚人的蔬菜量,還有燉到軟嫩的牛肉,營養價值破表,氣場強大到光靠這一鍋湯就足以取代一餐。

能取代一餐的關鍵還有湯裡會放馬鈴薯,所以連澱粉都有了。燉好後,趁調味前先取出一些料跟湯,就可以做成番茄牛肉蔬菜粥,也可拌入寶寶義大利麵,或是直接給寶寶吃馬鈴薯取代米粥,讓寶寶換換口味。

蔬菜滿滿的羅宋湯,也很適合產後想瘦身的媽媽,煮一鍋跟寶寶一起吃,保證全身舒暢!

FIRST TRY

8M5D

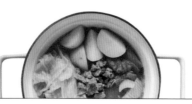

RECIPE

份量：5～6 人份

食材

- 500g 牛肋條──切除多餘油脂後，切小段。
- 4 顆牛番茄──切塊。
- 1 顆洋蔥──切塊。
- 1/4 顆高麗菜──剝大片。
- 1 根紅蘿蔔──切小塊。
- 1 顆馬鈴薯──切小塊。
- 2 根西洋芹──切塊（若覺得平常很少吃西洋芹，可省略，不然一包很多）。

調味料

- 150ml 番茄醬（請依個人喜好調整）
- 少許鹽

其他

- 約 2000ml 水（請依食材多寡調整）

作法

1 熱油鍋後，加入洋蔥塊炒至透明狀。

2 加入牛肋條炒至表層熟。

3 加入牛番茄、西洋芹、馬鈴薯、紅蘿蔔，拌炒 1～2 分鐘。

4 加入高麗菜。生高麗菜很占空間，看起來很多但煮軟之後就會消風，可以大略放到鍋子的八分滿

5 加入水約2000ml，至鍋子八分滿處，水滾後蓋上鍋蓋，以小火慢燉一小時，將牛肉與蔬菜燉軟。

6 把寶寶適合吃的食材酌量取出，接著參考一條龍副食品料理使用說明，處理成寶寶餐點。

7 加入番茄醬及鹽，調整至喜愛的口味，大人版即完成。

把寶寶適合吃的食材酌量取出，接著參考一條龍副食品料理使用說明，處理成寶寶餐點。

#09
西式餐點的好夥伴
番茄南瓜蔬菜湯

我是個很在意菜色和諧感的人,就算在家煮也會配一下。像吃台式家
常菜的話,配的就會是雞湯或是排骨湯;吃日式料理就配味噌湯;吃
義大利麵或排餐,就會弄個南瓜濃湯或是洋蔥湯。如果要我吃完牛
排,緊接著喝苦瓜排骨湯,我內心會非常不平靜。

FIRST TRY

7M28D

而吃西餐料理，通常就是配生菜沙拉，總不會還炒空心菜吧。但我本身不是個特別愛吃沙拉的人，我都寧可直接煮一鍋綜合蔬菜湯，喝湯時直接把蔬菜也吃好吃滿，省事又讓一切搭配得很合情合理，多好。

這天我們晚餐吃義大利麵，便煮了一鍋番茄南瓜蔬菜湯配。這鍋湯加了很多蔬菜，湯底則是雞高湯，熬好後，南瓜跟蔬菜的甜徹底綻放，完全不用調味。把想給弟弟吃的蔬菜取出來，剪一剪，放在米粥上，再淋點湯，香甜無比的綜合蔬菜粥就完成。

剛好那段時間我都會常備洋蔥雞肉泥的冰磚，方便給弟弟加菜，便蒸一些放進碗裡，這下連肉都有了，營養更均衡！

RECIPE

份量：3～4 人份

食材

- 1/4 顆南瓜（依個人喜好調整）
- 1 顆牛番茄──切塊。
- 1/2 顆高麗菜──剝大片。
- 1 條櫛瓜──切小塊。
- 1 根紅蘿蔔──切小塊。
- 適量無鹽雞高湯（約 500 ～ 600 ml，看食材多寡）

作法

1　將雞高湯倒入鍋中約六分滿位置，接著放入所有蔬菜。

2　蓋上鍋蓋轉中小火，燉煮約一小時，讓蔬菜熟透。

3　把寶寶適合吃的食材酌量取出，接著參考一條龍副食品料理使用說明，處理成寶寶餐點。

─── TIPS ───

- 如果沒有洋蔥雞肉泥，也可以另外給肉，像是蒸個魚片，讓營養更均衡。
- 各種蔬菜的量都可自行調整，像是牛番茄多加一些，南瓜少加一些，都可以，方便準備就好。

#10

湯品界的人生勝利組

綜合時蔬燉豬腩排湯

生了弟弟後沒多久,就爆發 Covid-19 的疫情,改變我許多生活習慣。像為了減少出門採買的次數,我開始列每週菜單,盡量一次買齊,接著就無腦按表操課。按表操課的好處是讓我能超前部署,有時我看隔天要吃的料理適合事先做好,就乾脆趁晚餐後,收拾廚房前先做起來,一次辛苦,隔天就能輕鬆點。像這道綜合時蔬燉豬腩排湯,蔬菜都是耐煮的,而且還越煮越甜,就很適合。

熬這鍋湯時,我跟老公說,我在煮 Super Soup。因為裡面加了滿滿滿的蔬菜、放了帶肉且油花豐富的豬腩排,還加了無鹽雞高湯,光用想的就知道這鍋湯註定要好喝,說它是湯品界的人生勝利組也不為過。

煮好後一開鍋,馬上聞到撲鼻而來的蔬菜甜味,而融合所有食材精華的湯底,黃澄澄油亮亮,一喝真的是極品。懶得煮一桌菜時,讓我喝這湯就好,無論心靈或營養上都大滿足啊!弟弟也吃得超開心的呢!

RECIPE

份量：4～5 人份

食材

- 豬腩排 500g（也可用帶肉的豬小排）──汆燙。
- 1 顆洋蔥──切塊。
- 3 顆蒜頭──去皮拍一下讓蒜頭裂開。
- 1 根紅蘿蔔──切塊。
- 1 顆馬鈴薯──切塊。
- 3 根西洋芹──用刨刀消除外層粗纖維後，切小段。
- 數根玉米筍──切小段。
- 1/2 顆高麗菜──剝成小片。
- 600ml 無鹽雞高湯

調味料

- 少許鹽

作法

1　以少許油熱鍋後，加入洋蔥拌炒至透明狀，加入蒜頭爆香。

2　加入紅蘿蔔、馬鈴薯、西洋芹、玉米筍，炒到蔬菜表層略熟。

3　加入雞高湯與豬腩排，湯汁滾後，蓋鍋燉煮至豬腩排變軟嫩（筷子可輕鬆穿透的程度）。

4　加入高麗菜，蓋鍋以小火燉煮10～20分鐘，讓高麗菜變軟，此時若覺得湯汁偏少，可再補水至約莫淹過食材的高度，讓湯汁最後再與食材滾一下，即完成。

5　把寶寶適合吃的食材酌量取出，接著參考一條龍副食品料理使用說明，處理成寶寶餐點。

6　大人要喝時可以加少許鹽提味。

加入雞高湯與豬腩排，湯汁滾後，蓋鍋燉煮至豬腩排變軟嫩。

把寶寶適合吃的食材酌量取出，接著參考一條龍副食品料理使用說明，處理成寶寶餐點。

大人要喝時可以加少許鹽提味，但不准給我加太多喔，人家本來就很好喝了（管那麼多）。

#11
清冰箱竟也超美味營養
雜菜炒碎肉湯

會做這道湯的理由很簡單，就是我想清冰箱。

有時就是會這樣，什麼剛好用到剩一點，這對我來說看了很矮油。煮
這鍋湯，最主要想消滅的就是西洋芹、白花椰菜、蘑菇，都是為了煮

別道菜而買，但份量上又無法一次用完，就給我剩個1/3之類。再打開冰箱仔細巡邏，發現毛豆跟玉米粒也剛好用到剩一小點，這畫面真的讓我覺得很礙眼。那就直接煮成一鍋雜菜湯吧，最乾脆！

切半顆洋蔥，另外再補買紅蘿蔔跟馬鈴薯，開一包雞腿絞肉，東湊西湊，煮出來超級好喝，所有蔬菜的甜味全都被熬出來，搭配雞絞肉，我光喝湯就飽了，另外再配個麵包就超滿足。

這鍋什麼都有的湯，給弟弟吃也好營養。煮這鍋湯時，弟弟已經1y4m了，蔬菜本來就都被切成丁狀，我就是直接撈一小碗，裡面很多食材他都可以當手指食物拿起來吃，另外也給他配點飯。如果是月齡小一點的，可以把食材剪碎，直接弄成像燴飯那樣，拌著湯汁給寶寶吃，或是跟米粥混成雜菜雞肉粥喔！

RECIPE

份量：4～5 人份

食材

- 300g 雞腿絞肉
- 1/2 顆洋蔥——切小塊。
- 3 根西洋芹——削除表層粗纖維後，切小段。
- 1 根紅蘿蔔（小的就好）——切小塊。
- 1 顆馬鈴薯——切小塊。
- 1 小朵白花椰菜——分切成小朵。
- 幾朵蘑菇——切片。
- 1 把冷凍毛豆
- 適量無鹽玉米粒
- 300ml 無鹽雞高湯

調味料

- 少許鹽

作法

1　以適量橄欖油熱鍋後，加入洋蔥拌炒至透明狀。

2　加入雞腿絞肉炒至表層熟。

3　加入紅蘿蔔與蘑菇，炒至蘑菇出水。

4　加入西洋芹、馬鈴薯跟白花椰菜，略作拌炒後，加入雞高湯與水至淹過食材，接著加入毛豆與無鹽玉米粒，水滾後，蓋鍋燉煮約半小時至蔬菜軟即成。

5　大人要喝時可以加少許鹽提味。

─── TIPS ───

- 既然是清冰箱料理，食材多寡可以隨意一點，某樣多一些或少一些都無妨。

- 食材可以隨意替換，像是加番茄、玉米筍、鷹嘴豆、皇帝豆、青豆、櫛瓜。

Four

喝幾口就喝下一堆營養
的大補帖濃湯

濃湯蘊含了多種蔬菜的營養，又口感滑順、
香甜易入口，絕對是大人小孩都愛的不敗
料理！

濃湯製作基本原則

濃湯是我們家固定排班要出場的湯品型態，特別是當我煮西式料理時。濃湯雖然看起來很像在餐廳才喝得到，但其實製作的邏輯非常簡單，抓到概念後，你就可以輕鬆在家變化出不同口味。

香甜滑順的濃湯非常適合給寶寶喝，有時寶寶會突然厭食、在餐桌上鬼打牆，什麼都不肯吃，這時候如果能塞幾口濃湯，讓他多少吃點蔬菜跟澱粉，總是不無小補，會讓媽媽覺得找到救贖。

本章節會教大家多種濃湯口味，但在開始前，我先講一次大原則，讓大家以後可以自行隨機應變。

濃湯美味8原則

原則1 一定要有洋蔥

洋蔥的甜會幫濃湯的味道做最基本的打底,所以濃湯基本上就是先從
炒香洋蔥開始。務必炒到洋蔥變成透明、帶點淡褐色的狀態,甜味才
會夠。

原則2 可加點蒜末爆香提味

一兩瓣蒜頭就夠,不用多,提個味而已,但記得,要在洋蔥炒軟後,
再加入蒜末,才不會炒到燒焦。

原則3 食材先炒熟炒軟,湯更香甜

我必須特別強調要「炒」,不要覺得反正最後都會打成濃湯,那就把
蔬菜丟進去高湯或水裡面煮一煮就好。蔬菜被炒到夠軟,甜味才會被
徹底釋放出來,這個步驟雖然需要花點時間,但大大影響最後的成
果。所以如果食譜步驟裡有提到要用炒的,務必跟著做喔!

原則4　可加一小塊無鹽奶油提香

炒蔬菜時，除了用食用油，也可以切一小塊無鹽奶油丟進去熱鍋，會多一個香氣。

原則5　馬鈴薯會讓味道更順口

如果怕主角的味道不夠討喜，可以呼叫馬鈴薯來解圍。有些食材的味道比較強烈，加馬鈴薯會讓味道變溫和順口。

原則6　馬鈴薯可增稠

如果怕湯太稀，一樣呼叫馬鈴薯（馬鈴薯覺得很忙）。馬鈴薯因為富含豐富澱粉，打成泥後會有勾芡的效果，變成濃湯的質地。

原則7　香濃的祕密武器──無鹽高湯、牛奶

加無鹽雞高湯或牛奶下去打，更香濃。要做給讓寶寶也能喝的濃湯，基本上就是用無鹽雞高湯，有時可以再加點牛奶，讓湯更香醇。

寶寶滿六個月後，就可以在料理中添加牛奶給寶寶吃。當然，你也可以使用配方奶或母奶，但因為我做的湯是全家人一起喝，就都還是用牛奶囉，不然全家都喝到我的母奶我是覺得有點怪怪的啦。

如果跟我有一樣的考量，但還是很希望讓寶寶多喝到一點母奶或配方奶，那可以把寶寶的份量取出到另一個小鍋，再添加母奶或配方奶。

原則8 過篩會讓湯更滑順

我是用Vitamix果汁機打濃湯，打出來超級無敵細滑，我完全不需要過篩。但如果只有手持攪拌棒，或是果汁機再打都還是有點顆粒，小孩因此不太愛的話，可以過篩，把殘渣濾掉，成果就會很細滑囉！

對濃湯製作方式有概念了齁，那來進入實戰教學吧！

實戰1 高湯加到料的九分滿

我的濃湯食譜的雞高湯份量都是抓500～600ml，但每次買到的蔬菜可能有大有小，蔬菜的出水量也會每次不太一樣，大家愛喝的濃稠度也有所不同，所以還是要依照當下的狀況跟個人喜好，自行做調整。

大原則是，在蔬菜都炒熟後，高湯大約加到料的九分滿差不多，這樣去打出來才會有濃湯的質地，不至於過稀。打完後若覺得太濃，可以直接在鍋中補點牛奶或高湯，開微火邊加邊攪拌，調整到自己喜歡的濃度即可。

實戰2 做成濃湯冰磚超方便

濃湯都可以做成冰磚，要喝的時候直接蒸熱。

FIRST TRY

9M4D

#01
寶寶啟動仙人模式時的救援隊友
栗子南瓜濃湯

在我看來，小孩在吃這件事情上，或多或少都會有自己的毛，毛多毛少的差別而已，當媽這六年多來，我很少看到純淨無毛的（？）。

當寶寶決定出手、把自己多毛的那面徹底展露時，本來愛吃的可能一個翻臉就不吃了，殺得爸媽措手不及，不知道還能出什麼招才能面對眼前這刁蠻的奧客。在這種時候，我覺得南瓜濃湯是很值得嘗試的一道湯品，因為又甜口感又

滑順，而且我還加了栗子，根本甜上加甜，小孩通常舔到都會繼續舔。

南瓜跟栗子都含有澱粉，如果寶寶啟動仙人模式，什麼都不肯吃，那喝點南瓜濃湯的話，還是能確保基本的飽足感跟營養，媽媽心情也能放鬆點。

若煮了小孩還是不買單怎麼辦？拜託，那麼好喝的濃湯，你們喝掉啊，小孩有天就會開竅，跟你搶著喝了啦！

RECIPE

份量：4〜5 人份

食材

- 1 顆南瓜
- 1 顆洋蔥——切塊備用。
- 10 多顆去殼栗子（若買不到的話可省略）
- 600ml 無鹽雞高湯
- 適量牛奶

調味料

- 少許鹽
- 少許黑胡椒

作法

1　將南瓜外皮洗淨，整顆直接放入電鍋內鍋，栗子也直接一起放入內鍋，以兩杯水蒸到熟透。

2　蒸南瓜的同時，以少許油熱鍋，加入洋蔥拌炒至透明狀後，取出備用。

3　南瓜蒸好放涼後拿刀切開，將籽用湯匙挖出，再把南瓜肉挖出備用。蒸熟的栗子也取出備用。

4　將南瓜泥、熟栗子、洋蔥與無鹽雞高湯，都放入果汁機中打成濃湯。

5　將湯倒入果汁機，或是用手持攪拌棒，打成濃湯，即完成。若太濃稠，可加適量牛奶調成喜愛的濃度。

6　寶寶就喝原味，大人要喝可以加適量鹽與黑胡椒提味。

--- TIPS ---

- 南瓜濃湯可直接配著餐點給寶寶喝，也可拌入米粥或是寶寶麵。

- 如果不幸買到不甜的南瓜，煮了一大鍋才發現味道不對，可以直接把一整罐玉米罐頭（有賣無鹽的）打成泥，再倒進去南瓜濃湯裡面攪拌均勻，這樣就可以靠玉米的甜救援成功喔！

8M12D

#02

滑順香甜一口接一口

紅蘿蔔濃湯

紅蘿蔔濃湯可能會讓一些人光聽就覺得不用了謝謝，但其實如果閉著眼喝一口，一點都不會有讓人倒彈的味道，反而會覺得非常滑順香甜，寶寶很自然地就可以一口接一口地喝起來。

只要掌握紅蘿蔔務必炒到熟透的小技巧，加上洋蔥與雞高湯的加持，這鍋湯大致上已經變得討喜。除此之外我還會加顆馬鈴薯，讓湯帶點濃稠感，給寶寶喝，營養更豐富齊全！

RECIPE

份量：3～4 人份

食材

- 1 顆洋蔥──切塊。
- 2 根紅蘿蔔──切小塊。
- 1 顆馬鈴薯──切小塊。
- 600ml 無鹽雞高湯
- 適量牛奶

調味料

- 少許鹽
- 少許黑胡椒

作法

1　於湯鍋中加入少許油熱鍋後，放入洋蔥拌炒至透明狀。

2　加入紅蘿蔔塊拌炒至熟透，用筷子能輕易插入的軟度。

3　加入馬鈴薯與雞高湯，湯汁滾後，蓋上鍋蓋以小火燉煮半小時，讓馬鈴薯熟透。

4　將湯倒入果汁機，或是用手持攪拌棒，打成濃湯，即完成。若太濃稠，可加適量牛奶調成喜愛的濃度。

5　寶寶就喝原味，大人要喝可以加適量鹽與黑胡椒提味。

FIRST TRY
10M24D

#03

香甜討喜小孩的最愛

玉米濃湯

很多小孩愛玉米的香甜，但可惜對於小寶寶來說，玉米實在不是很好消化，吃了絕對會在隔天的屎裡找到，有時量一多簡直誘發我的密集恐懼症，讓我不敢直視弟弟的尿布。還好把玉米做成濃湯，就不用擔心消化的問題。

年輕時我對玉米濃湯的認知就是麥當勞那種用粉泡的，或是康寶濃湯。說真的也沒有不喜歡，但當媽後，很自然不會想給小孩喝那種調和出來的湯品，還好自己做一點都不難，而且當然是比粉泡的真材實料又香甜許多，哥哥從小喝到大，現在連弟弟也一起喝，你一定要學著做做看！

我是習慣用玉米罐頭，現在也有賣無鹽的，這樣最方便。但如果高剛一點想要用新鮮玉米來製作，當然也可以，就看自己有多少時間與精力囉！

RECIPE

份量：3～4 人份

食材

- 1 顆洋蔥——切塊。
- 2 罐無鹽玉米罐頭或 4 根甜玉米
  ——甜玉米先用刀或是刨玉米器，將玉米粒切下來。
- 2 顆馬鈴薯——去皮切小塊。
- 600ml 無鹽雞高湯
- 適量牛奶

調味料

- 少許鹽
- 少許黑胡椒

作法

1　於湯鍋中加入少許油熱鍋後，放入洋蔥拌炒至透明狀。

2　若使用新鮮玉米，於此時加入鍋中，拌炒至玉米粒變鮮黃色，沒有粉狀感。若使用玉米罐頭，可直接跳到步驟3。

3　加入玉米罐頭（含玉米水）、馬鈴薯與雞高湯，湯汁滾後，蓋上鍋蓋以小火燉煮半小時，讓馬鈴薯熟透。

4　將湯倒入果汁機，或是用手持攪拌棒，打成濃湯，即完成。若太濃稠，可加適量牛奶調成喜愛的濃度。

5　寶寶就喝原味，大人要喝的可以加適量鹽與黑胡椒提味。

—— TIPS ——

- 若想要口感更細滑，可過篩。

- 我們自己喝時，喜歡在煮好後，另外多加一大碗玉米粒進去，這樣才可以吃到玉米粒的口感，等小孩長大點，就可以這樣做囉！

FIRST TRY

11M 8D

#04

輕鬆喝進大量蔬菜

花椰菜濃湯

無論是綠或是白花椰菜，熟透了就會變甜，而白花椰菜又再更甜些。
把這兩種混在一起做成濃湯，不但沒有恐怖的菜味，也會因為有了白
花椰菜的加持，讓湯呈現淡抹茶色，而不是讓已經抗拒吃菜的小孩會
高度警戒的深綠色。

很多媽媽為了小孩不肯吃蔬菜頭痛得要死，那做花椰菜濃湯大概還有
機會扳回一城。如果真的靠這招闖關成功，那有時做一鍋（也不能因
此天天做嘿，不然小孩本來肯喝也會不肯喝啦），讓小孩多少「喝」
點蔬菜，媽媽會安心點。這道湯品也不是非要等到小孩怕蔬菜才能
煮，他們開始吃副食品後就可以喝囉！

RECIPE

份量：3～4 人份

食材

- 1 朵綠花椰菜──切小朵。
- 1 朵白花椰菜──切小朵。
- 1 顆洋蔥──切小塊。
- 1～2 瓣蒜頭──切細丁。
- 600ml 無鹽雞高湯

調味料

- 少許鹽
- 少許黑胡椒

作法

1 於湯鍋中加入少許油熱鍋後，放入洋蔥拌炒至透明狀。

2 加入蒜頭爆香。

3 加入綠花椰與白花椰菜，以小火炒至軟。炒一炒可以蓋鍋蓋悶幾分鐘，再開鍋繼續拌炒，這樣反覆炒到花椰菜變得非常軟，軟到可以用鍋鏟輕易弄斷的地步，才會甜，沒有菜味。

4 加入無鹽雞高湯，湯汁滾後，蓋上鍋蓋以小火燉煮10分鐘，讓花椰菜煮更透。

5 將湯倒入果汁機，或是用手持攪拌棒，打成濃湯，即完成。若太濃稠，可加適量牛奶調成喜愛的濃度。

6 寶寶就喝原味，大人要喝的可以加適量鹽與黑胡椒提味。

--- TIPS ---

- 花椰菜要切成小朵狀，不然很難炒熟。

#05

富含蛋白質的香甜湯品

毛豆濃湯

毛豆的營養價值很高，富含非常豐富的蛋白質，如果小孩不愛吃肉，
那想辦法讓他多吃點毛豆，補充植物性蛋白，也是一個好方法。

我們弟弟超愛毛豆，可惜不是每個小孩都愛，根據我訪問過的三個小
孩（這種市調結果可信嗎），他們不愛的毛豆的原因主要是討厭那粉

FIRST TRY

1 Y

粉脆脆的口感、難以忍受的豆味，還有一視同仁的考量，畢竟毛豆有著令人痛恨的綠色外皮，必須跟萬惡的蔬菜列為同一國，一律不准進入他們的口腔。

不敢直接吃是吧？那我就把毛豆做成香甜滑順的濃湯，給你們喝了再說。為了讓毛豆的味道不要太搶戲，我找了食材界的甜姐兒玉米粒來搭檔，另外還照慣例炒了洋蔥，三個混在一起，不會很明顯感受到什麼東西的角色特別突出，喝起來就是甜甜的、很香很順口這樣。

煮好後我跟哥哥說來喝玉米濃湯囉，他不疑有他馬上狂喝了起來，還說好好喝。我看他喝了大半碗後，才捻鬚跟他

說，湯裡還放了（一堆）毛豆。哥哥不到完全不肯吃毛豆的地步，但也不至於會多主動想吃。如果我一開始就說這是毛豆濃湯，他肯定聽了倒彈。但讓他先毫無防備喝下去，用味道跟他正面對決，他得知真相後，只停頓一下，就馬上繼續大口喝下去，還說：「其實我是可以吃毛豆的啦！」

小孩對食物的防線就是這樣，可能拚命守了好幾年，但在某個時機點，他們就會突然鬆懈，覺得其實那食物也沒那麼可怕，這就是長大。所以還是老話一句，不管他們吃不吃，都照煮照吃，重點是煮的是真的好吃，都做到這樣了，接下來就等他們茅塞頓開吧！

RECIPE

份量：4～5 人份

食材

- 1 顆洋蔥——切塊。
- 1～2 瓣蒜頭——切碎（提味用，可省略）。
- 300g 毛豆仁
- 1 罐無鹽玉米粒罐頭
- 600ml 無鹽雞高湯

調味料

- 少許鹽
- 少許黑胡椒

作法

1 以少許初榨橄欖油熱鍋後，加入洋蔥拌炒至微焦黃。

2 加入蒜頭爆香。

3 加入毛豆仁（冷凍狀即可）略作拌炒。

4 加入雞高湯，小火滾個十分鐘，讓毛豆軟透。

5 加入一整罐玉米粒罐頭（含玉米水），用果汁機或手持攪拌棒打成濃湯，即完成。

6 大人喝的時候可以加點鹽跟黑胡椒調味。

——— TIPS ———

🥔 務必買冷凍毛豆仁，不然會剝毛豆莢剝到想哭。

Five

輕鬆搞定的營養配菜

只要家裡有雞蛋，就可以變化出百變配菜，
營養美味，又簡單快速，是配菜最佳幫手！

#01

細緻滑嫩香滑入口

雞汁蒸蛋

日式茶碗蒸跟台式蒸蛋，差別就是在於湯底。茶碗蒸是加柴魚高湯，
台式蒸蛋則是使用雞高湯，兩種都很適合給寶寶吃。

要做出好吃的蒸蛋，關鍵在於使用新鮮的雞蛋跟品質好的高湯，畢竟
沒調味，只能靠這兩樣食材搏天下了。新鮮的雞蛋吃起來不會有蛋腥
味，而品質好的高湯則是會讓蒸蛋吃起來更為淡雅，不要使用高湯
粉，吃起來差很多。

而如何讓蒸蛋細緻滑嫩，不要坑坑疤疤一堆氣孔，就看我下方說的訣
竅吧，照著做，肯定成功的！

RECIPE

份量：3～4 人份

食材

- 無鹽雞高湯 300ml
- 3 顆雞蛋
- 1/4 小匙鹽（可自行酌量增減，做給寶寶吃的，不用加鹽也很好吃喔）

> 將以上食材打勻後備用。

作法

1. 將雞高湯跟雞蛋攪拌均勻後，取一個小碗，將蛋液透過濾網倒入碗中，此為寶寶原味版。

2. 視剩餘的量，將調味量斟酌減少（像是約略減個1/5），拌入蛋液中混合均勻。調味本身不重，抓個大概就好。

3. 蛋液表層若有小泡泡，可用小湯匙撈掉，再拿鋁箔紙或保鮮膜將大小容器包住，放入大同電鍋，外鍋一杯水，跳起即完成。

--- TIPS ---

- 濾蛋液是讓蒸蛋細滑的關鍵，不可省略，而且上面的小泡泡也要撈起來，不然小泡泡也會炸開，讓表層花花。

- 讓蒸蛋不炸開、表層細滑的方式有幾個，可以在鍋蓋邊架個筷子、或是用餐巾紙摺起，總之讓鍋蓋留個縫隙，蛋才不會因為受熱過度炸開。我自己近來是習慣用鋁箔紙包起，覺得成果很穩定，不太會出亂子。

#02

0～99歲都愛吃的日式家常料理

日式茶碗蒸

想讓副食品不調味也能夠有滋有味,除了靠食材的味道之外,高湯也是非常方便的好幫手,我基本上就靠無鹽雞高湯跟無鹽昆布柴魚高湯這兩味打天下,中式或西式口味的用雞高湯,日式的就使用昆布柴魚高湯。

FIRST TRY
9M15D

五年前我都是靠自己熬,當年我記得市面上沒什麼無調味的雞高湯,至少我買得到的都有加鹽。好在現在有了,不用熬湯的夜晚我樂得翹腳,我們晚睡熬的應該是自由而不是高湯啊。

至於無鹽柴魚高湯,我買過日本的ORIDGE無食鹽昆布柴魚高湯包跟新合發的日本無鹽萬用高湯包 。這東西真的超方便,就像茶包,一包可以煮400ml的高湯。用這高湯直接取代煮粥或飯的水,會讓寶寶覺得多了一個香氣,讓副食品的口味有所變化。一次煮400ml用不完的話,用容器裝起來冰著,再盡快用掉就好。

除了當粥的湯底,也可以利用這個昆布柴魚高湯,讓已經可以吃蛋的寶寶吃日式茶碗蒸,軟嫩又充滿蛋香,寶寶通常都會愛喔!

茶碗蒸的調味配方很簡單,只要用新鮮的雞蛋、昆布柴魚高湯、醬油跟味醂,做出來的茶碗蒸我認真覺得跟餐廳一樣好吃。給寶寶吃的,用高湯跟雞蛋就好囉～要如何讓茶碗蒸細緻滑嫩呢?訣竅跟做台式蒸蛋一樣,照著做,成果就會非常完美。

茶碗蒸是我們家經常會出現的菜色,有時配菜是大人自己愛的重口味,我就會另外弄個茶碗蒸,讓哥哥也有個配菜吃。可說是從0～99歲都愛吃的日式家常料理,記得收進錦囊呦。

RECIPE

份量：3 杯量

食材

- 3 顆雞蛋
- 300ml 無鹽柴魚高湯
- 1 小匙醬油
- 1 小匙味醂

作法

1 以上食材攪拌均勻後，將蛋液過篩，倒入茶碗蒸的容器裡（我是使用豬口杯）。

2 拿一個小湯匙，將表層的小泡泡撈起。

3 用鋁箔紙將杯口包起後，放入電鍋，外鍋加一杯水蒸熟即可。

○只單做一份給寶寶吃的方法

1顆蛋：100ml無鹽柴魚高湯

用1顆蛋兌100ml的無鹽昆布柴魚高湯，其他調味料都不需要，後續的處理步驟一樣。這樣的份量寶寶一餐吃會有點多，剩下的大人可以吃掉，最簡單，寶寶很快就能吃掉一整份了。

○一次做給寶寶與全家人吃的方法

3顆蛋：300ml無鹽柴魚高湯：少許醬油：少許味醂

1 將3顆雞蛋與300ml高湯混合均勻。

2 將蛋液過篩，倒入未調味的蛋液至寶寶的茶碗蒸容器裡。

3 於剩餘的蛋液中加少許醬油跟味醂混勻後，再次過篩倒進茶碗蒸的容器裡。（因為一部分蛋液被寶寶分掉了，所以調味料要略減呦。）

4 後續的處理步驟一樣。

單做一份給寶寶吃

一次做給寶寶與全家人吃

TIPS

- 若不需要做到三杯，用料減少就行，1顆標準大小的雞蛋兌100ml高湯，醬油跟味醂也記得酌量減少。
- 若蛋偏小顆，可以將高湯減至80ml，才不會太水蒸不好。
- 可以自行添加喜歡的配料，像是玉米、毛豆、蟹肉棒、香菇、蝦子、肉塊等等。
- 電鍋跳起後，我通常會讓茶碗蒸繼續放在鍋中靜置5～10分鐘，確保中心有熟透。
- 因為我太常做茶碗蒸了，有買一個專門濾蛋液的濾網，牌子我搞不清楚，但上網用「蛋液濾網」這個關鍵字，都會查到類似的東西。

#03

多變的巧妙滋味
三色野菜蒸蛋

這道三色野菜蒸蛋是我偶然看到IG一個日本媽媽所做的，雖然只有附上幾張照片，沒有詳細食譜步驟，但我想了想覺得只要掌握住幾個重點，做出來應該八九不離十。

FIRST TRY
10M1D

首先，蒸蛋料理，口感軟嫩程度就是靠高湯量多寡來調整。想吃茶碗蒸那種極嫩口感的話，我都是抓一顆蛋兌100ml高湯，想要有點嫩又不會太嫩，甚至切成塊就能讓大寶寶用手拿起的話，那就是兌50ml高湯。

如果買到的蛋明顯偏小，可以酌量減少高湯，像是從100ml減到80ml。有這個大觀念，就很容易隨著自己設定的口感目標去調整高湯量，成果通常不會差到讓你嚇一跳。

另外一個重點，就是放進去蒸蛋裡的蔬菜，要已經是熟的。不然生的蔬菜體積大，蛋液倒進去也無法完全覆蓋。再來，很多根莖類要熟透才甜，如果是放在蛋液裡一起從生蒸到熟，一定不到好吃的地步。

這三色野菜蒸蛋，我想像的口感是有點像雞蛋豆腐那樣，就嘗試用一顆蛋兌50ml，搭配的野菜則是燙熟切碎的小松菜、本來就常備的炒紅蘿蔔絲，以及無鹽玉米粒，搭配在一起，超甜超討喜呢！

運用同樣的手法，食材可以做出許多變化喔，像是加吻仔魚、蒸熟的南瓜丁、海帶芽、秋葵或其他蔬菜。

RECIPE

份量：2～3 人份

食材

- 1 顆蛋
- 50ml 無鹽柴魚高湯
- 1 小把燙熟切碎的小松菜（改用菠菜、青江菜也很適合）
- 1 小把炒過的紅蘿蔔絲（我是先把炒過的紅蘿蔔絲冰磚蒸熱）
- 1 小把無鹽玉米粒

作法

1　將蛋與高湯打均勻後備用。

2　取一個小型耐熱容器，將食材均勻鋪在裡面，再將蛋液過篩倒入。

3　於容器上方用鋁箔紙或保鮮膜包起放入電鍋，外鍋加一杯水蒸熟，即完成。

─────── TIPS ───────

- 吃剩的三色蒸蛋可以冷凍保存，回蒸後口感會比較扎實，但大致上不影響。若隔餐或是隔天就要吃掉，冷藏保存即可，回蒸後口感就跟第一批的差不多。

- 因為我很常靠這道臨時幫弟弟加菜，所以示範是使用一顆蛋的小份量。但這道料理非常適合全家食用，可以自行依比例增加食材份量喔！用三顆蛋＋150ml 高湯就可變成小家庭的份量了。

同樣的手法，也可做成吻仔魚海菜蒸蛋，蒸好後直接吃。

或是拌進飯裡都可以。

放進去蒸蛋裡的蔬菜，要已經是熟的喔！

FIRST TRY

8M29D

#04

煎蒸兩種口感都美味

吻仔魚海菜煎蛋

最初買吻仔魚跟海菜是為了煮粥，一盒當然是用不完，我都會趁微解凍時切塊，再用拉鍊袋裝起。切成這樣後就很好隨手拿來加菜，吻仔魚＋海菜這個組合我還會做成蒸蛋（作法參考前篇），或是如這道食譜所示範的煎蛋。雖然核心食材不變，但口感上很有變化，就不會為了把吻仔魚用完，總是煮成同一個口味的粥，讓寶寶吃到翻白眼。

這道吻仔魚海菜煎蛋，我是用玉子燒鍋煎，煎的時候有把蛋液集中在同一側，所以會是長條型。若沒有玉子燒鍋，也可以用小的平底鍋，把蛋液倒入鍋中後，趁快熟時捲起來，就很方便當手指食物，或是直接切小塊餵寶寶吃了。當然，這道也很適合當家庭料理的配菜，吃的時候沾點白胡椒鹽，就很好吃囉！

RECIPE

份量：1～2 人份

食材

- 1 顆蛋（若大人也要吃，可增加到 3 顆蛋）
- 1 把無鹽吻仔魚（份量多或少一些都無所謂，做一次就知道往後怎麼調整份量）
- 1 把海菜──用水洗淨瀝乾。
- 50ml 無鹽柴魚高湯

作法

1　取一個碗，將蛋及50ml高湯放入後打勻。

2　將吻仔魚及海菜混入蛋液中。

3　以少許油熱鍋後，加入蛋液煎至熟，即完成。

沒有海菜的話，也可加蔥花、海苔碎片，或紫菜。只加吻仔魚也可以。

#05
甜嫩的日本經典配菜
玉子燒

玉子燒在日本家庭料理中是出場率極高的經典配菜，最基本的版本是用雞蛋＋柴魚高湯＋醬油＋糖（也可改用蜂蜜），就能做出帶有甜味的厚實雞蛋卷，令人百吃不厭。

而只要學會做玉子燒，就可以再加不同餡料，變化更多口味。大人口味常見的就是明太子、鰻魚、泡菜、起司等，而給小孩吃的，我會放玉米、炒過的紅蘿蔔絲或是海苔。而玉子燒因為可以切成一塊塊，也很適合作為寶寶的手指食物，媽媽們一定要把這個一招抵十招的菜色學起來！

FIRST TRY
8M24D

RECIPE

份量：2～3 人份

食材

- 3 顆雞蛋
- 50ml 無鹽柴魚高湯

調味料

- 1 小匙醬油
- 1 小匙白砂糖或 2 小匙蜂蜜

> 將以上食材打勻後備用。

作法

1. 於玉子燒鍋，加入適量油，接著用筷子夾一張餐巾紙，把鍋子抹一輪，將多餘的油吸起後，餐巾紙放於碗中備用。

2. 倒第一層蛋液（均勻鋪滿鍋子的量即可，不要過厚），以中小火煎，過程中若表層起泡鼓起，用筷子將泡泡弄破，確保蛋液維持平整。若想加料，直接鋪在這一層蛋液上。

3. 煎至蛋差不多熟時，用筷子或是玉子燒鍋鏟，由上往下捲至底端。

4. 將蛋卷推至頂端，用筷子夾餐巾紙，擦拭鍋子補油，再下一層蛋液，並且用筷子將蛋卷底部微微抬起，讓蛋液流到下面。

5. 待蛋熟後，往下捲至成型，再往上推，補油，下蛋液繼續煎，此步驟重複至待蛋液用完，即完成。

玉子燒可以吃冷的，帶小孩很忙不好現做沒關係，找空檔提前做好，先冰在冰箱，要吃之前取出來放室溫回溫一下，就能吃囉！

───── TIPS ─────

🌀 一歲前寶寶不能食用蜂蜜，所以給寶寶吃的玉子燒，調味料直接省略即可。做出來的無調味版本，大人吃時另外沾點醬油、甚至磨點蘿蔔泥配，就很好吃囉！

🌀 步驟看起來很長，別怕，只要記得：加油、加蛋液、往下捲再往上推，就這三個步驟循環。為了更好理解，我特地拍了示範影片，相信會更一目了然！

🌀 使用玉子燒鍋鏟會更好捲，上網就買得到。

玉子燒關鍵技巧

FIRST TRY

9M2D

#06
三分鐘變出的美味
海苔煎蛋

臨時想幫孩子加菜的時候，蛋絕對是最佳選擇，不但快熟、有多種變化的方式，營養價值也高。

這道海苔煎蛋，就是道三分鐘即可變出來的方便配菜，加了海苔，大寶小寶都會愛！

RECIPE

份量：1 人份

食材

- 1 顆雞蛋
- 1 大片海苔片

作法

1　於玉子燒鍋中加入少許油（如果沒有的話，也可以使用一般的平底鍋）
熱鍋。

2　鍋中加入打散的蛋液，倒的時候記得讓蛋液集中成一塊。

3　於蛋中間放入海苔片或海苔絲，趁蛋快熟之前，拿鍋鏟將蛋折起，把海
苔包起來，即完成。

三分鐘即可變出的美味魔法！

#07

小技巧讓小孩愛上
紅蘿蔔煎蛋

雖然紅蘿蔔在副食品階段是許多媽媽心目中的高人氣食材,但一堆小
孩後來都超討厭吃,只要看到紅蘿蔔臉就垮一半。事實上討厭吃紅蘿
蔔的大人也不在少數,紅蘿蔔到底犯了什麼錯,被大家這樣嫌棄呢?

因為你有草腥味啊（指）（紅蘿蔔倒地啜泣）。

其實紅蘿蔔要好吃很簡單，就是要熟透，一但夠熟，就會變得超甜。說到這裡我必須把紅蘿蔔扶起來，因為不好吃根本不是它的錯，是料理人的錯！

這個紅蘿蔔煎蛋是我的自信之作，第一本食譜就有放，過了六年，這道菜依舊經常出現在我家餐桌，而且哥哥從來沒有嫌棄過它。

喔別誤會，挑食的哥哥以前當然是不太愛吃塊狀紅蘿蔔的，但卻很愛我做的紅蘿蔔煎蛋，因為紅蘿蔔早已被炒到香甜，混在蛋裡又讓他降低防備，一吃就不自覺淪陷。

他與紅蘿蔔的緣分是這樣被牽起的，後來隨著長大，可能是在我們餐桌上的潛移默化，可能是在學校三不五時會跟同學一起吃到，有天他就突然肯吃塊狀紅蘿蔔了，還會跟我說好甜還想再吃。

所以啊，當小孩已經明顯抗拒某樣食材時，我們還是可以試著用比較不「正面衝突」的方式去料理，讓小孩在毫無警覺時嚐一些，接著就是給小孩時間，慢慢去意識到人家沒有想像中難吃。然後在我們毫無預期的某天，他們可能突然就跨過了。

RECIPE

份量：3 ～ 4 人份

食材

- 1 根紅蘿蔔——刨絲。
- 3 顆蛋
- 3 根蔥——切小段。

調味料

- 1/2 小匙醬油
- 1/4 茶匙鹽

作法

1　以少許油熱鍋後，加入紅蘿蔔絲拌炒，炒到聞到如地瓜般的甜味，代表有炒到夠熟。

2　在鍋中加入醬油，與紅蘿蔔絲拌勻後先起鍋。

3　在蛋汁中加入蔥花、剛才炒好的紅蘿蔔及鹽，攪拌均勻。

4　補少許油在鍋內，用湯勺倒入約鬆餅大小的蛋糊，以中小火煎至兩層金黃色，即完成。

----- TIPS -----

- 這道料理就是在吃紅蘿蔔的甜，調味料下得極少，我只有在紅蘿蔔炒熟時，加幾滴醬油去提味。這樣的量，可說不加也無所謂，加了給寶寶吃也無所謂，大家就隨意囉！

- 把蛋糊分成鬆餅大小煎，比較好翻面。

- 務必確認底部那面已經煎到金黃色，才可翻面，不然容易散開。

#08
讓小孩敢吃暗黑九層塔的祕訣
九層塔蛋

有天哥哥下課回來跟我說,他在學校吃到九層塔蛋,覺得很好吃,以後在家也想吃。聽到這番話我著實倒退了好幾步,因為他不是個勇於嘗試新食物的小孩,九層塔這種香草類長得又很像菜,他看到向來都直接打槍,不可能放進嘴裡。

FIRST TRY
8M1D

我便找了機會問學校煮飯的阿姨，請教她到底怎麼做九層塔蛋，祕密是什麼？阿姨笑笑地跟我說，很簡單，就是盡量把九層塔切碎，拌在蛋裡小孩就不會那麼排斥了。至於調味，也沒什麼祕訣，加點鹽或是醬油就可以。

被她那麼一說，我才想到過去若做九層塔蛋，我都是把九層塔用刀大概剁幾下而已，但對小孩來說，蛋裡有一片片暗黑葉子的畫面實在太過衝擊，難怪打死不吃。

學到後我回家馬上試做，哥哥一看就說對對對，學校的就是長這樣，便安心地大口吃下，九層塔蛋從此成為我們家固定會出場的配菜，我們大人也覺得很香很好吃，滿滿家常味。

有做的話，肯定也要給弟弟嚐嚐，畢竟九層塔的氣味強烈，若能讓弟弟趁小接觸，提早適應，以後不會排斥九層塔料理當然更好，媽媽我可是很愛九層塔的啊！

RECIPE

份量：3～4人份

食材

- 3 顆蛋
- 1 大把九層塔──去掉粗梗，洗淨擦乾後，用刀盡量切碎。

調味料

- 1 小匙醬油

作法

1　將九層塔拌入雞蛋中，攪拌均勻。

2　以適量油熱鍋，加入部分蛋液，炒至熟，即可給寶寶吃。

3　加「至多」一小匙的醬油至剩餘的蛋液裡，攪拌均勻後，放入熱鍋中炒
　　熟，調味版即完成。

── TIPS ──

- 醬油的用量，要看分給寶寶後，還剩多少蛋液來斟酌，不過我
　想，一小匙裝7～8分滿的量大概不會差不多，成果都不至於會
　太鹹。

- 照片中我只是做一人份給弟弟加菜，如果是全家要吃，炒三顆蛋
　的話，不會是那麼寒酸的排場嘿～

FIRST TRY

10M 2D

#09

酸甜可口的正台味

番茄炒蛋

番茄炒蛋是台灣很具代表的家常菜，家家戶戶習慣的作法都不太一樣。調味而言，有的喜歡清炒，有的喜歡加點糖，像我則是喜歡加點番茄醬、醬油跟糖，做出鹹中帶甜的濃郁口味，拌飯就可以吃掉一大盤。

蛋的口感也各有喜好，有人喜歡蛋被炒的稀稀糊糊，我則是喜歡炒成塊狀，覺得這樣才能吃得到蛋的口感跟蛋香。無論如何，要讓番茄炒蛋更順口的關鍵，

是番茄一定要炒到軟爛，炒到我們當媽後再也無法達到的那種軟爛（但爸爸們似乎很可以？？？），才能引出甜味，吃的過程也不會因為熊熊咬到仍脆硬的番茄而感覺突兀。

掌握這個小技巧，不管你喜歡吃的是哪種style的番茄炒蛋，都很適合在調味前取出部分給寶寶吃，因為寶寶比較不愛的酸味已經淡化許多，搭配帶點蔥香的炒蛋，真是道超棒的營養配菜！

RECIPE

份量：3～4 人份

食材

- 2 顆牛番茄──切小塊。
- 3 顆蛋──打成蛋液。
- 2 根蔥──切細丁。

調味料

- 2 大匙番茄醬
- 1 小匙醬油
- 1 小匙白砂糖

作法

1　將蔥花放入蛋液中拌勻。另將番茄醬、醬油、白砂糖事先於碗中混好。

2　以少許油熱鍋後將蛋液放入鍋中，待蛋的外圍已經略為成形後，再用長筷撥弄幾下讓蛋成大塊散開。蛋約九成熟即可先起鍋，另置於碗中備用。

3　同一鍋，以餐巾紙將鍋子擦拭乾淨，再補少許油，放入番茄塊，以中小火炒至表層變軟，番茄皮開始脫落，炒的過程可以用鍋鏟將番茄壓一壓，會比較快爛。

4　將蛋塊放回鍋中，跟番茄攪拌均勻，即可將要給寶寶吃的部分取出。

5　最後將調好的醬料酌量倒入鍋中，跟食材混合均勻，即完成。

─── TIPS ───

- 蛋要炒得蓬鬆漂亮，有兩大關鍵。一是油不能過少，至少要能薄薄一層均勻覆蓋在鍋中。二是蛋液入鍋時油溫要夠，才會瞬間膨起。測試油溫最簡單的方法，就是拿支筷子沾一點蛋液，在鍋裡劃一痕，如果蛋汁馬上熟了，代表油溫夠了，就可以下鍋。

- 炒番茄時，可將脫落的番茄皮用筷子挑起，食用口感會更好。

- 食譜中建議的調味料用量，是針對完整一份（2 顆牛番茄＋3 顆蛋）所調配。若分食給寶寶吃，後續調味時，需要依照剩餘的份量，斟酌減量喔。

six
大口吃主食就是很滿足

要讓寶寶能大口吃到飯麵等主食，不是只能靠寶寶粥或寶寶麵，只要學會一條龍的精神，就能把大人愛吃的也分享給寶寶！

#01

犯懶時的美味救星
吻仔魚海菜雞蛋粥

好懶好懶的時候，做一鍋吻仔魚海菜雞蛋粥，總會給我顧嫩嬰的生活
帶來曙光。海菜營養價值非常高，富含多量的果膠、海藻膠，屬於高
膳食纖維、低熱量的食品，可促進胃腸擺動，幫助消化，富含高葉綠
素、β-胡蘿蔔素、維生素A、C、E、B群（還有一堆我看不懂的就沒

FIRST TRY

8M26D

列進來了），總之是個讓我相見恨晚的好東西。我買到的海菜是冷凍成一盒，但一次用不了那麼多，還好拿刀就可以輕鬆切成大塊，再分裝到夾鏈袋冷凍，每次取需要的份量出來就好。

要煮海菜前，記得整塊（冷凍狀態即可）放進瀝水籃，用水沖開，因為裡面可能會夾有一些細沙。沖乾淨後就瀝乾備用。

至於吻仔魚，購買時記得挑選無鹽的，如果是一般市售，看起來白白的那種，通常都是已經用鹽水煮過，鹹度變高的。新合發有時會賣無鹽的熟吻仔魚，我也曾在媽媽魚買過生的。

無論買到的是生或是熟的無鹽吻仔魚，都直接丟進鍋裡一起煮，反正魚就那麼小一尾，不用擔心煮過頭肉變柴的問題。

煮好後，我都會撈一大碗自己吃，撒點白胡椒鹽就好清爽美味。加了海菜的粥口感滑溜順口，弟弟還沒反應過來瞬間吃了一大碗呢！

RECIPE

份量：2～3 人份

食材

- 約 1/2 碗吻仔魚（多一點或少一點都無妨，做個一次就知道自己喜歡的量，下次再調整就好）
- 約手掌大小的海菜（一樣，多一點少一點都可以）
- 1 顆雞蛋
- 1/2 杯米
- 3 米杯（540ml）無鹽柴魚高湯

作法

1　將米、高湯、吻仔魚、海菜放入內鍋，外鍋一杯水煮成粥。

2　電鍋跳起後，將雞蛋打散，趁熱混入粥裡，攪拌均勻後，即完成。

─────── TIPS ───────

● 若用日式電子鍋，可以直接使用電子鍋的煮粥模式，按指示加入對應的米及水量即可。煮出來的粥就會很綿密好吃，我自己現在都這樣煮。

盒裝的海菜可以切成小塊，分裝到夾鏈袋冷凍。

吻仔魚也可以依使用份量，切塊分裝冷凍，使用時更方便。

9м13ᴅ

#02
夏天當季清甜又退火
蛤蠣絲瓜雞湯粥

台灣的夏天真的是熱到讓人很想對天怒吼,我每年六到九月都會像男人當兵一樣數饅頭,期待秋天的到來。

在這種熱到笑不出來的時候,唯有看到絲瓜會讓我感覺到救贖,因為絲瓜夏天正好吃,清甜又退火,加蛤蠣跟雞湯煮成絲瓜粥,吃起來真的非常舒服,準備上也輕鬆。

有時我就乾脆中午速速煮一鍋,跟弟弟一起吃,吃飽飽去吹冷氣午睡,我就可以稍微原諒台灣的夏天。

RECIPE

份量：2～3 人份

食材

- 1 根絲瓜──去皮切塊。
- 少許薑絲
- 10 多顆蛤蠣
- 適量鴻喜菇（也可改放其他菇或省略）
- 1 把枸杞──用水沖洗。
- 適量三倍粥
- 300ml 無鹽雞高湯──加熱。

作法

1　以少許油熱鍋後，加入薑絲爆香。

2　加入絲瓜炒至略軟

3　加入雞高湯後，待湯汁略滾，加入三倍粥，此時若覺得湯汁偏少，可以補水。

4　以小火熬煮幾分鐘，煮到湯汁帶點濃稠感。

5　加入蛤蠣，蓋上鍋蓋悶煮2～3分鐘，煮至殼打開。

6　最後撒上一把枸杞，即完成。

─────── TIPS ───────

🥄 一般煮鹹粥，加白飯再熬煮到軟即可。但絲瓜煮久會縮太小，無法這樣細火慢熬，所以我是直接使用三倍粥，這樣就可以縮短熬煮的時間，成品口感會比較適合給寶寶吃。

#03
不開火的清香營養
鮮魚海苔粥

平日白天都只有我跟弟弟在家面面相覷，除非逼不得已，我不會在這時還硬去開火下廚。主要是顧及安全，畢竟弟弟會不斷在我腳邊亂竄，很怕不小心噴到或燙到他。而且說真的嬰兒還是黏人，我在廚房一下他就會爆爬過來巴著我哭，哭到我心慌意亂腋下濕，切東西時多怕一回神連我的指頭都切掉了。

所以他的午餐，我基本上都是靠平時「存」的冰磚出菜，蒸一蒸就搞定，我輕鬆他開心。但偶爾也會有冰磚剛好用完，需要現煮的時候。

這時我會用柴魚高湯取代水去煮米粥，讓粥底有淡淡的高湯香。另外蒸塊魚，把魚肉剁散，鋪在高湯粥上，再灑點海苔，不開火就能做出清香營養的鮮魚海苔粥，另外再弄份青菜，一餐最基本的營養就到位了。這碗粥，加點鹽跟白胡椒，大人吃了也會覺得很舒服，清爽無負擔。

RECIPE

份量：2～3 人份

食材

- 1/2 杯米
- 3 米杯（540ml）無鹽柴魚高湯
- 適量魚肉
- 適量海苔

調味料

- 適量鹽或白胡椒鹽

作法

1 將米與高湯放入內鍋，外鍋加一杯水煮成粥。

2 用電鍋蒸魚，熟後把魚肉剝散，鋪在高湯粥上。

3 拿一小片海苔（有賣無添加的），用手撕碎灑在粥上，即完成。

—— TIPS ——

- 無刺或容易去刺，且適合清蒸的魚，都可以拿來做這道粥品。像是鯛魚片、鯛魚下巴、鯖魚（無鹽漬）、鮭魚、白帶魚、吻仔魚、鱈魚等。

- 做這道料理時，我直接用半杯米煮了一鍋跟弟弟一起當午餐吃掉（打飽嗝）。

- 如果當下沒有跟寶寶一起吃的需求，在粥煮好後直接取寶寶當餐需要的量出來，鋪上魚肉跟撒海苔碎，剩餘的高湯粥就做成冰磚冷凍保存。

- 切記魚肉也是準備寶寶一餐的量就好，不要想說乾脆一次蒸一大片，拌進去再做成魚粥冰磚，海鮮類做成冰磚反覆加熱都會影響鮮度。

- 如果冰箱剛好有柴魚高湯粥的冰磚就更簡單了，熱冰磚時直接蒸一小片魚，拌一拌就搞定。

11M25D

#04

寶寶吃膩粥的下一步

番茄櫛瓜雞肉燉飯

若是義式料理所說的燉飯,是直接把生米倒入平底鍋慢慢炒至熟透,過程中會陸續加入高湯,讓米粒吸收其鮮美。

只是這種作法很耗時、需要一定技巧才能掌握好熟度,而且米粒吃起來是偏硬的,老嬰咀嚼時會覺得嘴累心更累,硬吞下去也不好消化。還好只要換個方式偷吃步一下,就可以用類似的方法做成適合寶寶吃的口感,過程輕鬆簡便。對於有點吃膩粥的寶寶來說,換成燉飯來

跟他們正面對決吧!

做寶寶燉飯,只要先把喜歡的食材炒軟後,加入溫熱的米飯(口感會比用冷藏飯軟),再酌量加入無鹽雞高湯或柴魚高湯,邊炒邊燉、煮至寶寶適合的軟度即可。掌握這樣的製作邏輯,食材就可以做出許多變化,大人要吃時只要再加點鹽跟黑胡椒,就會覺得非常美味。這篇示範口味是番茄櫛瓜雞肉燉飯,也可把雞肉換成蝦仁,或加點玉米喔!

RECIPE

份量：3～4 人份

食材

- 1 顆牛番茄──切小丁。
- 1/2 顆洋蔥──切小丁。
- 1 根黃櫛瓜、1 根綠櫛瓜──切小丁
  （也可都用同一色的，以方便採買為主）
- 300g 雞腿或雞胸絞肉
- 適量無鹽雞高湯

調味料

- 適量鹽
- 適量黑胡椒

作法

1　以少許油熱鍋後，將洋蔥丁加入，拌炒至透明狀。

2　加入番茄丁炒至番茄變軟。

3　加入雞絞肉炒至雞肉轉白變熟。

4　加入櫛瓜丁炒至變軟。

5　加入溫熱的米飯，跟食材拌炒均勻。

6　加入適量雞高湯，以小火慢炒讓米飯因吸收湯汁而變軟，重複此動作直到調整成寶寶合適的口感，即完成。

7　大人要吃時可以加點鹽與黑胡椒提味。

── TIPS ──

- 若大人不想跟著吃那麼軟爛的燉飯，可以把要寶寶吃的份量取出，移至另一個小鍋，再繼續加高湯拌炒。這樣就可以輕鬆做出兩種口感的燉飯。

#05

先蒸後炒輕鬆上桌
番茄甜椒雞肉燉飯

我很早就用一條龍料理讓弟弟愛上甜椒。甜椒的營養價值相當高,富含高量的維生素C與 β -胡蘿蔔素,可抗氧化與增強免疫力,寶寶肯吃的話,當然可以變化一下口味,讓他們多點機會吃到囉!

前面章節所教的番茄甜椒燉雞有提到,要讓甜椒吃起來沒有椒味,訣竅是要讓甜椒熟透。換到這裡要做成燉飯,少了燉煮的過程,該如何不費時就讓甜椒熟透呢?

我就是先拿去蒸囉!跟一樣要熟透才會甜的洋蔥一起,切成丁後先用一杯水蒸軟,之後再炒一下,他們很快就會手牽手一起變得甜美無比,搭配微酸的番茄味跟香醇的雞高湯,化身成非常討喜的一份燉飯,就算已經怕甜椒的寶寶,也可能願意吃喔!

FIRST TRY
10M29D

RECIPE

份量：3～4 人份

食材

- 1 顆牛番茄──切小丁。
- 1/2 顆洋蔥──切小丁。
- 1/2 顆紅甜椒、1/2 顆黃甜椒──切小丁。

  （我是因為拍食譜想要配色美美的，且用剩的甜椒我可以另外做別的料理，才會用兩色。但其實用同色的就好，紅甜椒的維生素含量最高，可優先使用）

- 300g 雞腿或雞胸絞肉
- 適量無鹽雞高湯

調味料

- 適量鹽
- 適量黑胡椒

作法

1 將洋蔥丁跟甜椒丁置於碗中，放入大同電鍋，外鍋一杯水蒸軟。

2 熱鍋後，不要加油，直接把蒸軟的洋蔥丁跟甜椒丁放進去，以中小火先把蒸出來的水分炒乾。

3 接著加入少許油，繼續拌炒至洋蔥跟甜椒變焦黃色。

4 加入番茄丁炒至番茄變軟，加入雞絞肉炒至雞肉轉白變熟。

5 加入溫熱的米飯，跟食材拌炒均勻。

6 加入適量雞高湯，以小火慢炒讓米飯因吸收湯汁而變軟，重複此動作直到調整成寶寶合適的口感，即完成。

7 大人要吃時可以加點鹽跟黑胡椒提味。

加入適量雞高湯，以小火慢炒讓米飯因吸收湯汁而變軟，重複此動作直到調整成寶寶合適的口感，即完成。

───── TIPS ─────

● 若大人不想跟著吃那麼軟爛的燉飯，可以把要寶寶吃的份量取出，移至另一個小鍋，再繼續加高湯拌炒。這樣就可以輕鬆做出兩種口感的燉飯。

#06
西式南瓜燉飯變成台味版更美味
香菇南瓜雞肉飯

我三不五時就會買顆南瓜在家供奉著，對我而言，總有派得上用場的時候，煮南瓜湯煮蔬菜湯煮咖哩都可以，而且沒切開的南瓜很耐放，不會讓我有種被逼迫的感覺。

這個香菇南瓜雞肉飯，其實我第一本食譜裡就有，但現在的我作法變得更簡單，所以還是決定放在這裡給大家參考。

南瓜飯一般給人偏西式的感覺，但因為加了香菇去爆香，會融合成非常絕美又和諧中式口味，特別適合我這個正台妹。做一鍋跟寶寶一起吃，另外配碗蔬菜湯，滿足又營養的一餐就完成囉！

FIRST TRY
10M13D

RECIPE

份量：3～4 人份

食材

- 適量南瓜──切小丁。

  （約 200～300g，但其實多一點或少一點都無妨，不需要很刻意去量，反正南瓜比例多一些或少一些而已，通常就是切個 1/4 塊來用用。）

- 2～3 朵乾香菇──泡軟後將水分擠出，切細丁。
- 1 瓣蒜頭──切細丁。
- 150g 雞肉丁

  （我是直接使用舒康雞的雞腿絞肉，若沒有的話，也可自己用去骨雞腿肉、里肌肉或是雞胸肉切成丁）

- 適量白飯（可抓 1 杯米的量）

調味料

- 適量醬油

作法

1　以少許油熱鍋後，先加入香菇丁爆香，接著放入蒜末，待香氣出來後，加入雞肉丁拌炒至表層變白。

2　加入南瓜丁至鍋中，略作拌炒後，加入1/4米杯的水，蓋上鍋蓋，以小火將南瓜悶軟。

3　約15分鐘，南瓜應已經被悶煮到可用鍋鏟搗成泥的狀態，此時便可先關火，將南瓜均勻搗散。

4　將白飯倒入鍋中，與料攪拌均勻後，再開火讓飯熱得更均勻。

5　此時即可將要給寶寶吃的部分撈出。若寶寶還在吃粥的話，可以另外加點水或高湯到寶寶那份，再用小鍋以小火煮到變成粥的質地（或用電鍋蒸），就可給變成南瓜雞肉粥給寶寶吃。

6　以適量醬油調味，大人版本即完成。

我是使用鑄鐵鍋悶煮南瓜，若使用其他鍋具，因為鍋子密合度與傳熱度不同，請自行依照南瓜的狀況調整時間。

#07

用料豐富營養飽滿

五目炊飯

五目炊飯是日本家家都會做的家常料理，裡面的食材可以隨意變化，比較常見的包括雞肉、香菇、鴻喜菇、金針菇、牛蒡、豆包、紅蘿蔔、竹筍等，挑當季方便採買的就行。而且也不用一定要剛剛好五樣啦，冰箱只湊得出來四樣也沒人會發現的。

日本主婦會將生米洗好放入電子鍋中，接著把食材鋪在米上，以柴魚高湯取代水，加入鍋中去煮。煮好後拌一拌，營養豐富又美味的炊飯就完成。不過因為我很喜歡食材被炒過的香氣，做這道料理時，都是習慣用鑄鐵鍋先將食材炒熟，再加入生米與高湯悶煮，兩種手法都可以呦！

這種料本身就很豐富的炊飯，分一些做成寶寶粥或寶寶燉飯再合適不過，只要另外弄點蔬菜，大人還可以煮個味噌湯，全家都吃得營養又開心！

FIRST TRY

7M1D

RECIPE

份量：3～4人份

食材

- 300g 雞胸或雞腿絞肉，也可直接買一片雞腿排——切小丁。
- 2 朵乾香菇——泡軟後將水擠乾，切片。
- 1 根綠竹筍——切薄片。
- 1 根紅蘿蔔——刨絲。
- 1 小段牛蒡——去皮切細段。
- 1 包鴻喜菇
- 1 米杯米——洗淨瀝乾。

調味料

- 1.1 米杯無鹽柴魚高湯
- 少許醬油

作法

1　以少許油熱鍋後，加入香菇片爆香。

2　加入雞肉炒至表層變白。

3　加入剩餘食材，拌炒至紅蘿蔔變軟、鴻喜菇出水。

4　將要分給寶寶吃的食材取出，處理成適口大小，再拌入米粥即可。若感覺太乾，可再兌一些無鹽柴魚高湯，調整至寶寶喜愛的口感。

5　加入少許醬油至鍋中與食材拌炒，讓食材入味。

6　加入生米及高湯，待湯汁滾之後，蓋上鍋蓋，轉小火悶煮15分鐘，即完成。若試味道時覺得偏淡，可以再補點醬油或是鹽。

將要分給寶寶吃的食材取出，處理成適口大小，再拌入米粥即可。若感覺太乾，可再兌一些無鹽柴魚高湯，調整至寶寶喜愛的口感。

大人要吃的，最後再以醬油或是鹽調味就好。

─── TIPS ───

- 若是要做給月齡大一點、咀嚼能力已很不錯的寶寶，可略過第五步，直接先原味一路做到底，最後再把煮好的炊飯，分一些出來、將食材剪成適口大小就給寶寶吃。若對寶寶還是太乾，再加一些高湯將寶寶的那份熬煮至飯再軟一些即可。
- 大人要吃的，最後再以醬油或是鹽調味就好。

#08

大人口味寶寶也可享用

蔥油雞汁炊飯

自從我的二寶副食品之路被套上一條龍濾鏡後，很多以前我覺得不能給寶寶吃的食物，會突然出現轉機。像這道蔥油雞汁炊飯，感覺就是大人愛的口味，以前的我可能會覺得那就大人吃，寶寶的我另外弄。

但現在的我會覺得不行啊，我煮都煮了，弟弟就一起吃（硬拗）。怎麼弄呢？很簡單，在調味前，先把弟弟要吃的撈出來，把肉剪小塊後，另外用個小鍋，加雞高湯跟水煮到飯變軟，就可以給弟弟吃了！

這個作法也可以沿用到很多其他的米飯料理，像是大人吃鮭魚炒飯，反正在家炒的都不會多油，調味前撈一點飯出來，用柴魚高湯熬煮一下，就會另外變出一份鮭魚粥給寶寶吃，這樣有懂齁！可以自己隨機應變喔！

FIRST TRY

9M23D

RECIPE

份量：4～6人份（小家庭食材可自行減半）

食材

- 2包去骨雞腿肉──退冰。
- 500ml 無鹽雞高湯（依實際使用狀況調整）
- 5～6根蔥切丁（若喜歡蔥的話可以加更多）
- 2杯米──洗淨瀝乾。

調味料

- 適量香油
- 適量鹽或白胡椒鹽

作法

1 熱鍋後，將雞腿肉的皮面朝下，入鍋以中火將兩面煎至金黃色，取出切塊備用。

2 雞腿肉取出後，將蔥放入鍋中，利用剛剛被煸出的雞油爆香，香氣炒出來之後，將蔥取出置於碗中備用。

3 將米及無鹽雞高湯倒入鍋中，兩杯米對2.2杯的雞高湯，湯汁滾後，蓋上鍋蓋，轉小火繼續悶煮15分鐘。

4 時間到關火開鍋，把切塊雞腿肉鋪在飯上，蓋上鍋蓋靜置10分鐘，利用鍋中餘熱讓雞肉熟透。雞肉熟後，便可將蔥花放入鍋中與飯攪拌均勻。

5 把要給寶寶吃的份量取出，放入小鍋中，把雞肉剪碎，加入適量雞高湯，將炊飯熬成米粥的細軟口感後，即可變成蔥油雞湯粥給寶寶。

6 最後依個人口味，於鍋中淋點香油、鹽或白胡椒鹽，即完成。

將雞肉剪成適口大小，另倒入小鍋，加入適量雞高湯，將炊飯熬煮成米粥的細軟口感後，即可變成蔥油雞湯粥給寶寶吃。

─── TIPS ───

🍀 雞皮的油脂很多，利用熱鍋乾煎的方式將油逼出即可。但因為我這次用的是白琺瑯鍋，不建議乾燒，所以我一開始還是有用少許油熱鍋，下鍋前要把雞肉用餐巾紙擦乾，才不會油爆。

#09

全家一起滿足大口吃

親子丼

親子丼是一端上桌就會莫名讓孩子感到幸福的料理，醬汁裡充滿洋蔥的香甜，燉到軟嫩的雞腿肉塊，還有滑嫩鬆軟的雞蛋，如果再撒點海苔碎片，孩子看到都像是有人在我們身上狂撒紙鈔一樣（？），開心得要死，總是不小心吃下一大碗。

這天是我們家哥哥大口吃親子丼的好日子，這種快樂怎麼能不分享給弟弟呢？用一條龍的手法動點手腳，兩兄弟都吃到一臉滿足，就算你還是新手媽，家中沒大寶，你跟老公吃到也會一樣療癒的，全家一起大口吃，這才是生活啊！

RECIPE

份量：3～4 人份

食材

- 2 片去骨雞腿肉排
- 1 顆洋蔥——切絲。
- 適量紅蘿蔔絲（我把常備的炒紅蘿蔔絲冰磚，蒸熱一些拿來用，很省事）
- 2 顆雞蛋——打成蛋液。
- 300ml 無鹽柴魚高湯

調味料

- 少許醬油

作法

1. 熱鍋後，不用加油，直接把雞腿排帶皮的那面，放入鍋中，以中小火乾煎至煸出雞油，待雞皮煎成金黃色時，即可先取出（此時雞肉還沒熟，但沒關係），切成塊狀備用。

2. 同一鍋，不用補油（但如果煸出的雞油太少的話，可以補一點），加入洋蔥絲及紅蘿蔔絲炒至變透明狀。（若跟我一樣是用已炒熟的紅蘿蔔冰磚，可以等洋蔥炒軟後再放入）

3. 加入無鹽柴魚高湯，將雞腿肉塊放回鍋中，以小火燉煮十分鐘，讓雞肉熟透、洋蔥與紅蘿蔔的甜味煮進醬汁裡。

4. 取出要給寶寶吃的份量，將食材剪成適口大小後，另外用小鍋裝著，淋上適量蛋液，以小火煮至雞蛋全熟，即可淋在粥飯上，給寶寶吃。

5. 加入適量醬油到原鍋中，調至喜歡的鹹度，再燉煮幾分鐘入味，最後淋上蛋液，滾至七八分熟，即可盛出，鋪在飯上（給小小孩吃的話建議還是煮到全熟喔，可將大人的先取出，小孩的煮到熟後再起鍋）。

FIRST TRY

7 M 17 D

#10

煮過一次就會一直被點菜

日式牛丼

我們家哥哥每隔一段時間就會指定要吃牛丼，這感覺在日本料理店才吃得到的美食，事實上簡單到不行。

只要把洋蔥炒香，用醬油、清酒跟味醂調味，加適量的水去熬煮醬汁，待洋蔥甜味被煮出來後，再把牛肉片放進去煮熟就可以。我每次煮，哥哥總是要吃上一大盆才過癮。

有天晚餐又要煮牛丼，本來想說牛丼食材很單純，如果不調味就要給弟弟吃，好像味道無趣了點。但轉念想想，其實我無需先入為主，可能光洋蔥的甜味，對弟弟來說就很有滋味了。

決定還是要分一份給弟弟吃後，我的作法有點調整，用無鹽柴魚高湯取代水，去跟洋蔥燉煮。這樣就算不調味，也會有一個香氣，弟弟果然吃得很起勁呀，還好有分他一些，讓我少張羅一餐！

RECIPE

份量：3～4 人份

食材

- 1 顆洋蔥——切絲。
- 適量牛肉片（使用像牛小排那種長條狀的肉片較合適）

調味料

- 適量無鹽柴魚高湯
- 適量醬油
- 少許味醂（可省略）
- 少許清酒（可省略）

作法

1 以少許油熱鍋後，將洋蔥拌炒至透明狀，加入適量無鹽柴魚高湯，讓高湯淹過洋蔥後再略多一些。

2 轉小火燉煮約20分鐘，讓洋蔥與湯汁味道融合在一起。

3 加入要給寶寶吃的牛肉片，燙熟後，連同適量洋蔥一起取出。

4 接著參考一條龍副食品料理使用說明，處理成寶寶餐點，記得淋點洋蔥高湯醬汁在粥飯裡。

5 加入適量的醬油，少許味醂與清酒至鍋中，調整至自己喜歡的鹹度後，再熬煮5～10分鐘，讓洋蔥入味。

6 加入適量牛肉，燙熟後，大人版的牛丼飯即完成。

--- TIPS ---

● 若寶寶咀嚼吞嚥能力還沒有很好，可以把牛肉盡量剪碎一些。

#11

蛋香四溢小孩超愛
什錦蒸蛋飯

煮飯煮久了，會覺得其實不過就是在玩排列組合，常見的食材就那些，但東拼西湊，再換個方式呈現，吃起來感覺就是會不一樣。

這道什錦蒸蛋飯，就是在我排列組合卡關時，其中一個騙小孩的密技，裡面都是放我隨手從冰箱或冷凍庫撈出來的食材，但最後加了蛋液去蒸，整碗端出來就很唬人，米飯因為吸附蛋液變得軟嫩，每口都吃得到蛋香，還真的是特別好吃。當時我冰箱有寶寶鯖魚片（冷凍）跟白飯，蔬菜的話，則是有紅蘿蔔白菜煮冰磚，我就先把這三樣蒸熱後，拿一個碗，先放白飯，再放蔬菜、鯖魚，最後撒一點玉米粒，這樣做出來的蒸蛋飯，弟弟吃得津津有味。

食材都可以自行更換，像是放吻仔魚、鮭魚、洋蔥雞絞肉泥、焦糖洋蔥肉豆腐，蔬菜也都能看家裡有什麼就加什麼，只要記得先把料弄熟就對囉！

172

份量：1 人份

食材

- 1 片寶寶鯖魚片
- 適量白飯
- 適量蔬菜（示範使用紅蘿蔔白菜煮）
- 少許玉米粒
- 1 顆蛋
- 50ml 無鹽柴魚高湯

作法

1 將要吃的食材弄熟後，依序放入碗中。

2 待食材稍微冷卻後，加入適量蛋液（到碗的八分滿）。蛋液製作方式為 1顆蛋兌50ml的無鹽柴魚高湯。

3 拿一張鋁箔紙包住碗面（這樣蒸出來的蛋才會細滑），放入大同電鍋，外鍋加一杯水蒸熟即可。

—— TIPS ——

- 記得要抓開飯前半小時先把蒸蛋飯做好，才有足夠的時間讓飯散熱，因為這不像粥或飯，可以拿湯匙邊喇邊吹風，美美的蒸蛋飯被你一喇就變噴是不是。

- 這是無調味的版本，若要給大寶或是家人也要吃，只要在蛋液裡面加少許醬油或是鹽，就可以同時做出調味版囉！

- 如果寶寶飯量已經頗大，調蛋液時可以兌多一點高湯，一顆蛋最多兌到100ml都沒問題，這樣才會有足夠的蛋液把飯大致覆蓋過去。

#12
全部拌在一起就好吃到嚇死人
肉燥蔬菜拌飯

近年的我很沉迷韓劇,此時此刻讓我奮發寫書的動力也是截稿後我要
去追劇(交代很細)。

FIRST TRY

10M
17D

看韓劇時，其中一個享受就是美食的畫面常常不經意出現。有天我看著女主角大口吃著韓式拌飯，發現這道料理的概念很好，一是裡面放了大量的蔬菜跟肉，營養很均衡，二是準備上很容易，只要有一些常備菜，拌一拌就可以吃。我接著就在想，有可能把這個概念也用在一條龍，讓弟弟也能一起吃嗎？

但我想不到。主要是肉該怎麼給讓我傷腦筋。因為韓式拌飯的肉，就是用烤肉醬醃過，但給弟弟吃，口味還是太重了點，直接用無調味的肉，我又覺得少了點什麼。

直到有天我做了一鍋焦糖洋蔥肉豆腐，

我才想到可以利用這肉燥，做成拌飯的主角。為了讓味道韓式一點，我有用香油炒一點黃豆芽，另外搭配冷凍庫常備的紅蘿蔔絲，再燙一把青菜切碎，這樣全部拌在一起，好吃得不得了，連我都跟著吃了一大碗。

如果你的寶寶還在吃粥，也可以吃這道，只要把鋪在底下的白飯換成白粥，再把上面的食材剪碎一些，就可以一起吃了。

這個作法可以很隨意替換搭配的蔬菜，懶得炒黃豆芽的話，就直接在飯上淋一點香油，吃起來就會有點韓味喔（笑）～

RECIPE

份量：1 人份

食材

- 適量焦糖洋蔥肉豆腐（作法請見 P.53）
- 適量黃豆芽──先用香油炒熟。
- 適量常備紅蘿蔔絲冰磚
- 1 把蔬菜──燙熟後切碎。
- 適量白飯或米粥

作法

將全部食材放在一個碗中，再加入寶寶吃的粥
飯，拌勻即完成。

─────── TIPS ───────

● 因為太好吃了，我直接多做一份冷凍起來，但我的蔬菜是另外裝
一盒冷凍。之後要給弟弟吃的時候，只要把飯先用一杯水蒸熱，
在蒸的同時，蔬菜先拿到室溫退冰，等飯蒸好，再把蔬菜放入電
鍋，用餘溫讓菜變熱，這樣菜才不會被蒸到黃掉走味。

#13

東拼西湊就搞定

吻仔魚香鬆拌飯

FIRST TRY

10M

這胎我真的很少刻意做什麼冰磚，但因為煮飯經驗多了，越來越會隨機應變，我大多時候都能在沒有刻意準備的情況下，看看家裡有什麼，就湊出一頓飯給弟弟吃。要做到隨機應變，備一些很好運用的食材還是必要的，總是要有些基本元素讓我去延伸變化。

像我的冷凍庫裡一定會有幾種不同的魚，蒸一下就可以吃。而我現在雖然很少做冰磚，但只要有空，還是會炒一些紅蘿蔔絲冷凍起來。櫥櫃裡也一定會有海苔，這是小孩都會愛的法寶。這道飯，我就是靠這幾樣東西拼湊出來的，過程雖然即興，但成果非常好吃，除了可以直接給小孩吃，也很適合捏成小飯糰或是包成三角飯糰呦！

RECIPE

份量：1 人份

食材

- 適量白飯或米粥
- 適量無鹽吻仔魚
  ——燙熟瀝乾（也可換成鮭魚或無鹽漬鯖魚）。
- 適量常備紅蘿蔔絲冰磚
- 適量海苔
- 少許白芝麻

調味料

- 少許鹽
- 少許香油

作法

1　將白飯（米粥）、吻仔魚、紅蘿蔔絲混合均勻後，把海苔撕成小片拌
　入，最後撒點白芝麻提味，即完成。

2　大人版的，只要撒點鹽，也可淋點香油，就很清爽美味囉！

只要拌拌就很好吃，也可捏成飯糰，小孩會很愛！

FIRST TRY

1Y

#14

讓偉大的綠葉幫孩子補充營養

鮭魚海帶芽玉米拌飯

海帶芽是我乾貨部隊中的常備軍，我最常拿來煮海帶芽豆腐味噌湯，隨便丟一小把到鍋裡，味噌湯當場就更好喝，要人怎麼不愛。海帶芽感覺整個人生都在當綠葉，但其實它默默地有著大海超級食物之稱，營養價值相當高，含有高鈣、高蛋白質、高膳食纖維及多醣體，而且有著天然的鹹味跟特殊的香氣，放進粥飯裡非常有提味的效果，是製作副食品很棒的食材。

這道鮭魚海帶芽玉米拌飯，是我臨時想弄點像樣的餐點給弟弟時，最輕鬆的一個選擇。把鮭魚跟米飯蒸熱，跟泡軟的海帶芽還有無鹽玉米粒拌在一起，就變成很爽口又營養的美味餐點，即便是悶熱到沒有食慾的夏天，也能讓孩子一口接一口呦！

RECIPE

份量：1 人份

食材

- 適量鮭魚
- 適量乾海帶芽（約兩指到三指夾起來的量就很夠）──以熱水泡開後，剪碎。
- 適量白飯或是粥（白粥、雞湯粥或是柴魚高湯粥都可以）
- 適量無鹽玉米粒

作法

1　將鮭魚弄熟（蒸、烤或乾煎都可以）。

2　於白飯或粥上，鋪上海帶芽、鮭魚，最後撒點無鹽玉米粒，吃之前攪拌均勻，即完成。

家裡可常備海帶芽，無論煮湯或是做拌飯，都很好用！

─ TIPS ─

- 也可撒點白芝麻或炒過的紅蘿蔔絲。
- 大人要吃的，只要把鮭魚稍作調味即可，像是加鹽或是做成照燒口味。

#15
讓寶寶腸道變滑溜的法寶
酪梨鮭魚海苔飯

我非常愛吃酪梨，哥哥嬰兒時期我雖然會把酪梨混進粥裡讓他吃，但卻幾乎不曾直接給他嚐過。想當然爾，長大後的他看到那綠綠軟軟的一坨東西根本快吐了，怎麼可能願意吃（好的這類情節在這本書大概出現了八百次我知道）。

FIRST TRY

1Y

弟弟我則是很早就開始讓他直接吃酪梨泥，他一吃就非常愛，有時甚至一次就吃掉半顆的量，讓我覺得這孩子真是識貨，常常買酪梨跟他共享。

酪梨對寶寶來說是非常棒的食物，因為富含油脂，對排便非常有幫助。開始吃副食品後，不少寶寶拉屎之路會走得越來越艱辛，便祕、拉屎拉到哭，最後還要去給醫生挖大便這種故事我都聽過。如果寶寶愛吃酪梨，腸道會變得像遊樂園的滑水道一樣順暢，讓便便像霜淇淋般順暢湧出（好的太有畫面了我知道）。

酪梨另外一個好處是熱量高，如果要給寶寶衝體重，讓他們吃酪梨非常有幫助。光這兩個優點，就讓媽媽聽到覺得很想手刀去買了吧！

大多時候我是直接把酪梨泥當成一道配菜給弟弟吃，但也可以加進料理裡讓寶寶一起吃下。這道料理是酪梨鮭魚海苔飯，連我自己都愛吃，準備上也很快速，營養價值超高，有機會弄給寶寶吃吃看喔！

RECIPE

份量：1人份

食材

- 1 顆酪梨──切開後，直接用搗泥器壓一壓。
- 適量鮭魚塊
- 適量白飯或米粥
- 適量海苔碎片

作法

1　將鮭魚弄熟（蒸、烤或乾煎都可以）。

2　於白飯或米粥上撒上適量海苔碎片，鋪上鮭魚跟酪梨泥，拌一拌就可以吃囉！

也可加點玉米粒或是炒熟的紅蘿蔔絲。

關於挑選酪梨的幾個提醒

1 可以的話，挑放在室溫販售，
而不是被放在冷藏區的

酪梨放在室溫會慢慢熟化，反之，冷藏擺放就會凍齡。曾被冰過，以我的經驗，就算之後改放室溫，也很難熟到我覺得好吃的口感。所以我如果看到酪梨是被放在超市的冷藏區販售，我大概就pass了。

2 買回家先放室溫，直到熟透

如果能順利買到放在室溫販售的酪梨，買回家後先放室溫，等到整顆轉棕色但仍飽滿時，就是正好吃的時候，可以冰進冰箱延長保存期。

3 壓一壓就能搗成泥給寶寶吃

弄酪梨給寶寶吃很簡單，切開後（不會切的可上網查影片），直接用搗泥器壓一壓就好，對於寶寶來說很容易吃。

4 可做成冰磚，但不能蒸

吃不完的可做成冰磚，要吃時取出，放在室溫退冰，就可以直接給寶寶吃了，千萬不要蒸喔！

FIRST TRY
10M8D

#16

飯吃膩了就吃麵

野菜烏龍麵

日式烏龍麵大概是所有小孩都會愛的料理，QQ的麵條吃起來就是充滿樂趣，哥哥每次看到我煮都像中樂透，總是唏哩呼嚕吃下一大盤。

很多寶寶也很喜歡吃烏龍麵，因為他們可以自己用手抓來吃，像吃手指食物一樣好玩，而且很有新鮮感，畢竟他們三天兩頭都在吃粥飯，當然會想換換口感。

推薦一家我偶然找到的手工麵條，叫做「麥個麵子」，他們的烏龍麵只有加少許鹽，可以放心給寶寶吃。麵條吃起來非常Q，也吃得到麥香，我自己很喜歡，想嘗試的話可以自行上網搜尋喔！

RECIPE

份量：2～3 人份

食材

- 2 份烏龍麵──煮熟。
- 150g 雞肉丁

  （我是直接使用舒康雞的雞腿絞肉，若沒有的話，也可自己用去骨雞腿肉、里肌肉或是雞胸肉切成丁）
- 1/2 顆洋蔥──切細絲。
- 適量包心白菜（也可用高麗菜或娃娃菜）
- 適量紅蘿蔔絲
- 2 片乾香菇──泡軟後將水擰乾，切片。

調味料

- 100ml 無鹽柴魚高湯
- 少量醬油
- 少量味醂

作法

1　於鍋中加入少許油，熱鍋後，加入香菇爆香。

2　加入洋蔥絲與紅蘿蔔絲，炒至變軟。

3　加入雞肉丁炒至表面變白。加入包心白菜，炒至變軟。

4　加入高湯，湯汁煮滾後，加入煮熟的烏龍麵，將烏龍麵與所有食材攪拌均勻。

5　將寶寶要吃的份量取出，剪成適口大小，即可給寶寶吃。

6　加入少量醬油與味醂至鍋中，調至喜歡的鹹度，即完成。

seven
充滿魔法的小食

本章集結了許多能攻破孩子心防的小食，
從主食、配菜到點心類都有，很多還能兼
做手指食物，端上桌絕對會讓大人小孩眼
睛都亮起來！

學會就能變化出超多口味
製作煎餅的大邏輯

當小孩進入手指食物期,將營養美味的食材製作成餅狀是皆大歡喜的辦法,不但方便小孩拿取,吃起來很有新鮮感,一次多做一些分裝冷凍,吃之前再復熱即可,方便性極高。外出時若要自行準備食物餵食寶寶,也會比餵粥飯輕鬆許多。鹹口味的像是肉排、米飯煎餅,甜口味的像是香蕉煎餅、地瓜煎餅。

在往下分享食譜之前,我想先教大家製作上的大邏輯,先理解一遍,接著看我的食譜,你會發現有許多前後呼應的地方,明白我為什麼要那樣製作。融會貫通之後,以後就能夠輕鬆變化出自己或寶寶喜歡的口味啦!

掌握4個小技巧，輕鬆做煎餅

技巧1 一定要加蛋

煎餅最怕的就是煎到散開，只要在餡料裡加雞蛋，就可以利用蛋很易熟的特點，在下鍋的瞬間幫助食材凝固。

技巧2 可加板豆腐讓肉排更嫩

肉排若太扎實乾澀，別說寶寶，連大人都不會愛吃。要讓肉排軟嫩多汁的祕訣，常見的是讓麵包粉吸附牛奶後再拌入餡料，或加板豆腐。我比較喜歡後者，因為板豆腐的營養價值更高，取得也容易。

技巧3 若餡料太稀或質地鬆散，可加點麵粉增加濃稠度

有些食材水分較多或質地鬆散，稀稀糊糊的餡料自然很難煎成型，此時若加一到兩匙麵粉，讓麵粉吸附多餘水分，餡料就會帶點濃稠感，較好下鍋煎。但麵粉也不要加多，免得吃起來口感過於扎實。我都用低筋麵粉，但因用量不多，家中有什麼麵粉都可用，不影響口感。

技巧4 想提味，可以靠洋蔥丁、玉米粒、紅蘿蔔絲、
　　　　青蔥切細段、南瓜泥、甜椒丁等

在製作肉排或是米飯煎餅時，可以用上述食材增添美味程度。記得要把食材切碎一些，不然顆粒太大，結構會被這些大分子的食材給撐開，變得很難成型，容易煎到散。最後要提醒，除了青蔥之外，上述的建議食材，都要弄熟，才會甜，稍微放涼後，再拌入餡料裡。

下鍋煎的4祕訣

祕訣1 **油溫要夠熱**

若油溫夠，一下鍋食材會因為受熱而開始凝結成型。

想確認油溫，可以丟一小坨餡料進入鍋中，若有發出滋滋聲響，周邊冒出小泡泡，代表油溫正好。若瞬間焦黑，代表油鍋已經過高，關火靜置幾分鐘，再重新開火即可。若丟下去完全沒反應，代表油溫不夠，多等幾秒再下鍋煎。

祕訣2 **油不能太少**

至少要讓平底鍋能被一層薄薄的油覆蓋，不然下鍋後，沒沾到油的會很難煎得漂亮，甚至因為沾鍋而無法順利翻面或碎開。

祕訣3 **確認底部那面已經被煎到金黃色，才翻面**

煎東西最忌諱反覆翻面，過程中一定會多少傷到外觀。可以拿鍋鏟把底部稍微掀起，偷看一下熟度，等到確定變金黃色，再翻面繼續煎，煎好直接起鍋，等於只需要翻一次面，最保險。

祕訣4 **稀糊餡料可用湯匙，再邊煎邊整理形狀**

若餡料偏稀糊，可用湯匙撈起，再放入鍋煎，煎的時候再用鍋鏟或湯匙背面把形狀整理整理即可。

#01

營養美味兼具的全壘打料理

香煎野菜雞肉薯餅

香煎野菜雞肉薯餅是我從哥哥時期就開始做的手指食物。不得不說這在哥哥一歲後厭食階段，真是救世主般的存在。

裡面不但有洋蔥雞肉泥，還有馬鈴薯泥跟蔬菜丁，這對當時的哥哥來說，無疑是道完美的全壘打料理，煎到金黃色就會香氣四溢，鬆軟可口。就算一餐下來金口開不了幾次，但能吃這幾口，基本的營養就能一次取得，媽媽要求的不多，這樣就可以了（老淚縱橫）。

在我手指食物的食譜中，這道作工相對繁複，主要是需要先把雞絞肉跟洋蔥炒熟後再打成泥。弟弟因為肯吃的食物種類比較多元，我想了想才發現只做一批給他吃過。但這道食譜還是值得分享，因為誰知道我們哪天也會走到絕境，需要靠全壘打料理拉一把呢（嘴角抽動）。

FIRST TRY

8M19D

RECIPE

份量：可做成 10 多顆

食材

- 300g 雞胸絞肉
- 1 顆洋蔥——切丁。
- 1 顆馬鈴薯——切塊。
- 數朵花椰菜
- 1 大節紅蘿蔔——切塊。
- 1 顆雞蛋

作法

○製作洋蔥雞絞肉泥

1　以適量油熱鍋後，加入洋蔥丁炒至透明狀。

2　加入雞絞肉拌炒至熟。

3　以食物調理機將洋蔥雞絞肉打碎，即完成。

 ▶

○製作成雞肉薯餅

1　將馬鈴薯塊、花椰菜跟紅蘿蔔塊，放入碗中，置於大同電鍋，外鍋以一杯水蒸熟。

2　將蒸軟的馬鈴薯搗碎，花椰菜及紅蘿蔔另以調理機打碎。

3　將馬鈴薯、花椰菜、紅蘿蔔、洋蔥雞絞肉（示範使用約150g）及一顆全蛋，置於大碗中，用手混合均勻。

4　以適量油熱鍋，用湯匙取適量馬鈴薯泥出來，放到手上輕捏整成圓餅狀後，入鍋以小火慢煎，煎到兩面表層恰恰，即完成。

──── TIPS ────

- 🌼 除了葉菜類因不耐重複加熱比較不推薦外，蔬菜都可自由變換。
- 🌼 薯餅大小可以自行調整，唯一提醒是輕捏成型即可，不需要太過度擠壓，不然口感會過於扎實。
- 🌼 蔬菜跟洋蔥雞絞肉的量可自行斟酌，多一點或少一點都沒有關係。
- 🌼 用剩的洋蔥雞絞肉可做成冰磚，吃飯吃粥時丟一些進去，很好吃。
- 🌼 薯餅可冷凍保存，要吃時回烤或是乾煎一下即可。

#02
加了「那個」就超香
麻香蔥花蒸肉餅

想讓寶寶吃不調味的副食品也吃得津津有味，除了透過食材搭配、掌握讓食材更美味的烹調技巧之外，利用品質好的麻油或香油，也是一個好方法。

麻油或香油本身就很香，兩者差別是麻油是用黑芝麻壓榨而得的天然食用油，香油則是白芝麻，而麻油的味道會比香油再濃郁一些。只要買到好品質的麻油或香油，就可以放心運用在副食品的製作上，作為提味的一個祕密武器。

這道麻香蔥花蒸肉餅，製作方式超級簡單，把料用湯匙混一混，再放進電鍋蒸熟就好，全程完全不會弄髒手。寶寶版的雖然沒有調味，但有著麻油跟蔥花的香氣，肉餅也因為混了高比例的豆腐而非常軟嫩，弟弟很愛吃。大人版的我只是加了一點醬油提味，成果就很下飯，當便當菜也很適合喔！

FIRST TRY
10M28D

RECIPE

份量：3～4人份

食材

- 300g 雞胸或雞腿絞肉——用刀背切碎些。
- 兩塊板豆腐
- 3～4 根青蔥——切細段。

調味料

- 3 小匙韓國麻油
- 1 大匙醬油

作法

1 　將雞絞肉分為100g及200g，分置於兩個大碗中。100g的為寶寶版，200g的為大人版。

2 　於寶寶版的碗中，加入一小匙韓國麻油、一把青蔥、一塊板豆腐，用湯匙將食材混合均勻。

3 　於大人版的碗中，加入兩小匙麻油、一大匙醬油，一大把青蔥跟一塊板豆腐，用湯匙將食材混合均勻。

4 　將寶寶版與大人版的豆腐肉泥，分別裝於兩個耐熱容器中，上層以保鮮膜或鋁箔紙包住，放入大同電鍋，外鍋加一杯水蒸熟，即完成。

TIPS

- 寶寶版的蒸熟後，可先取出當餐要吃的份量，剩餘的分裝到保鮮盒裡冷凍保存，要吃時再用電鍋蒸熱即可。

將食材分別放入兩個碗中,
分成大人版與寶寶版。

再放入兩個耐熱容器中蒸熟。

寶寶版的可取出當餐份量,
其餘可冷凍備用。

#03

讓小孩大口吃肉的必殺絕技
迷你南瓜漢堡排

我想沒有小孩會不愛日式漢堡排，連我自己都超愛吃。說真的這不算
是方便菜，因為要做出好吃的漢堡排，要先把洋蔥丁炒軟，把肉泥準
備好之後，還要用手拍打成型，入鍋煎的時候也需要不少技巧，才不
會煎到散開，或是熟度沒有掌握好。所以雖然我第二本書就有放這道

食譜，但事實上我不常做。

是因為現在有了弟弟，我做一批不但可以全家吃一餐，還會剩一些冷凍保存起來，隨時能烤熱給弟弟吃。從一條龍的角度看來，這道料理就很有一做再做的價值，而且看兄弟倆每次吃到都那麼開心，真是讓我想偷懶也於心不忍，哥哥事隔多年終於又能三不五時吃到漢堡排，我都替他感動了啊。

跟第二本食譜作法有所不同的，是我以前會加麵包粉跟牛奶，讓肉質更軟嫩，但現在我改用板豆腐，效果一樣，但營養價值更高。另外，以前我會把漢堡排捏得跟餐廳賣得一樣，又厚又大，徒增我煎的困難度。現在我野心變小了，我直接全都捏成50元硬幣大小，煎起來輕鬆很多，弟弟還更好拿起來直接咬，全家都吃得很開心。

這道一家老小都會愛吃的南瓜漢堡排，是讓寶寶大口吃肉的必殺絕技，翻翻農民曆，挑個良辰吉日，做給小孩吃吃看吧！

RECIPE

份量：4 ～ 5 人份

食材

- 500g 牛絞肉
- 適量南瓜（大約用 1/4 顆，多一點或少一點都無妨）
- 1 顆洋蔥──切細丁。
- 1.5 塊板豆腐
- 2 顆雞蛋

調味料

- 4g 鹽（詳細用法請見附註說明）

作法

1 拿一個碗將南瓜裝起，置入大同電鍋，外鍋加2杯水蒸至軟後，用湯匙將南瓜泥刮出，放入碗中備用。

2 以適量油熱鍋後，加入洋蔥丁拌炒至淡褐色，起鍋放涼。

3 將牛絞肉分為100g及400g，分置於兩個大碗中。100g的為寶寶版，400g的為大人版。

4 於大人版的碗中，加入4g的鹽，並用手抓至鹽被均勻融入牛絞肉中。

5 接著於大人版的碗中，放入1顆雞蛋、1塊板豆腐、4/5的南瓜泥與4/5的洋蔥（大概大概就好），用手將食材混合均勻。

6 於寶寶版的碗中，放入1顆雞蛋、1/2塊板豆腐、剩餘的南瓜泥與洋蔥，用手將食材混合均勻。

7 於鍋中倒入約1公分的油，待油熱了之後轉小火，依序將大人與寶寶版的肉泥用手取出，整成約50元硬幣大小的肉排，入鍋煎至熟，即完成。

大人版可先把鹽先放入牛絞肉抓至有黏性，是讓肉排好吃的其中一個關鍵，不要把鹽跟其他食材一次混入。

─── TIPS ───

🌸 只要於牛絞肉中，加入肉重量1%的鹽，鹹度就會很剛好。這篇食譜因為取了100g分去製作寶寶版，剩400g，就加4g的鹽。大家可依照實際肉的重量，去調整鹽用量。

🌸 不吃牛的話，可以改用豬絞肉。

🌸 若不需要刻意區分有調味與沒調味版，可將豆腐改為1塊、雞蛋改為1顆，鹽巴改為5g，其餘食材用量不變，混在一起一次製作即可。

#04

台式口味漢堡排

蔥燒豆腐肉餅

日式漢堡排是我非常喜歡的一道料理，有天我就在想，如果要做成台式口味的話，食材該怎麼調整比較好，最後我想到了台灣主婦廚房必備的綠葉，也就是青蔥。

我的第一本書有個slogan「留著青蔥在，不怕沒菜燒」，可見青蔥在我的料理世界裡有著舉足輕重的地位，所以會想到要加蔥，很有我的風格，也可說老主婦變不出新把戲（坦然承認）。

在豬絞肉裡加上一大把蔥花跟一塊板豆腐，磨點薑泥提味，再加顆蛋讓肉泥有黏性，簡簡單單的配方，煎起來就會十分可口，有著淡淡的蔥香，豆腐也讓肉排變得軟嫩多汁。當然，這是給弟弟吃的無調味版。大人的版本，我還會加點醬油跟白胡椒鹽，也就這樣而已。

這個蔥燒豆腐肉餅，有很多可變化的方式，像是把青蔥改成炒過的洋蔥或九層塔、在肉餡裡淋點麻油，或是加點玉米或是炒過的紅蘿蔔絲。也可以在煎好後另外淋上醬汁，像是用點醬油、糖、味醂跟水，做成鹹鹹甜甜的醬燒口味，都會很好吃

一次多做一點，除了跟家人當餐吃掉，還可以冷凍一些起來，想吃時只要烤一下，香噴噴的肉排就上桌了，特別方便！

RECIPE

份量：3～4 人份

食材

- 300g 低脂豬絞肉
- 5～6 根蔥——切細段。
- 1 塊板豆腐
- 1 顆蛋
- 1 小節薑——磨成泥（約 1 小匙），省略沒放也可以。

調味料

- 1 大匙醬油
- 少許白胡椒鹽

作法

1　取一個大盆，將所有食材（不含調味料）混合均勻。

2　於鍋中倒入約1公分的油，待油熱了之後轉小火，用手取出肉泥，整成約50元硬幣大小的肉排，入鍋煎至熟，寶寶版的蔥燒豆腐肉排即完成。

3　於剩餘的肉泥中，加入適量醬油跟少許白胡椒鹽（需看分多少肉泥出來給寶寶，再自行酌量減少），混合均勻後，再入鍋煎熟即可。

蔥燒豆腐肉餅
關鍵技巧

○醬燒版

我也很常直接全都做成無調味版，把弟弟要吃的取出後，再淋上簡單的醬汁，做成鹹甜下飯的醬燒口味。

醬汁材料

- 1 大匙醬油
- 1 大匙味醂
- 4 大匙水
- 1 小匙糖

作法

1　將醬汁攪拌均勻，把肉排煎熱後淋上，轉中大火，待醬汁收乾變濃稠，即完成。
2　醬汁用量可依肉排實際數量調整。

肉排我都會多做一些冷凍，烤一下小孩就有肉吃。

FIRST TRY

11M5D

#05

香甜多汁吃到別跟小孩搶
塔塔雞肉煎餅

這道是我這本書甜椒料理的第三部曲。當初會想到要把甜椒做成雞肉煎餅，主要是我曾看過一家咖啡廳菜單上有塔塔煎餅，我沒點來吃，但很好奇那到底是怎麼做，就只好從照片找蛛絲馬跡。但說起來也沒看出來什麼，因為照片上只看得出來有用甜椒而已。

我就靠想像把其他的部分拼湊出來。我想著，一定要加洋蔥，才會更甜更多汁，也可以加點玉米吧，小孩都愛吃玉米。混雞肉泥時，照慣例打了顆雞蛋進去幫助煎的時候更好成型，但雞蛋一加變得更加稀糊，我想著這樣等等放入鍋肯定整坨散開，煎不成一塊吧，那就放一大匙麵粉進去，讓質地濃稠點囉。東搞西搞，煎出來果真超級好吃，若不是要留給弟弟吃，我一定當場吃掉兩三塊！弟弟當然愛死啦，後來我又做了好幾次呢！幾個月後，我終於去那家咖啡廳吃了塔塔雞肉煎餅，你知道嗎？我的版本好吃太多了（驕傲吹瀏海）！

RECIPE

份量：4～5 人份

食材

- 300g 雞胸絞肉
- 1/2 顆洋蔥——切小丁備用。
- 1/2 顆紅甜椒、1/2 顆黃甜椒——切小丁備用。
  （因為拍食譜想要配色美美的，且用剩的甜椒可以另外做別的料理，才會用兩色。其實同一色就好，紅甜椒的維生素含量最高，可優先使用）
- 無鹽玉米粒
- 1 顆雞蛋
- 1 大匙麵粉（各種筋性的麵粉都可以）

作法

1　將洋蔥丁跟甜椒丁置於碗中，放入大同電鍋，外鍋一杯水蒸軟。

2　熱鍋後，不要加油，直接把蒸軟的洋蔥丁跟甜椒丁放進去，以中小火先把蒸出來的水分炒乾。

3　接著加入少許油，繼續拌炒至洋蔥跟甜椒變焦黃色後取出。

4　取一大盆，將雞胸絞肉、洋蔥與甜椒丁、玉米粒、雞蛋跟麵粉，全部放入，用湯匙攪拌均勻。

5　平底鍋加入適量油，熱鍋後，用湯匙撈出一小坨肉泥，陸續放入鍋中。

6　待底層變成淡淡金黃色後，即可翻面，另一面也煎到淡淡金黃色後，即可起鍋。

塔塔雞肉煎餅
關鍵技巧

―――――――― TIPS ――――――――

　🍽 這不用調味，大人也會覺得很好吃，也可以沾點白胡椒鹽提味。

FIRST TRY

1Y4M

#06

讓不愛吃肉的小孩也難以抗拒

南瓜泥雞肉煎餅

同場加映雞胸絞肉的變化口味。其實製作這道料理時，四書早已截稿、交由編輯排版中，但有天隨意拿南瓜跟雞胸絞肉，做了南瓜泥雞肉煎餅給弟弟吃，好吃到讓我再次被自己隨機出菜的能力給驚豔到（很好意思說），決定也收錄。

這道肉排的特色在於我用了很高比例的南瓜泥，甚至比雞絞肉還略多一些。所以特別軟嫩香甜，口感較接近南瓜煎餅，對剛開始練習吃手指食物的寶寶來

說，會很好咀嚼吞嚥。而因南瓜泥多，肉的存在感相對變低，所以也很適合給不愛吃肉的小孩，讓他們輕鬆吃下。這肉排還立下了另一個功績。那陣子有個媽媽朋友正煩惱全家只有她一人肯吃南瓜，每次心癢一買，下場就是自己吃到吐，我便分享這道食譜給她。兩天後她傳來捷報，本來死不吃南瓜的兩個兒子大口吃肉排，她還偷渡紅蘿蔔絲進去，兒子們也沒發現。你說，我如果私藏這食譜，會不會天打雷劈。

RECIPE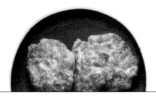

份量：4～5 人份

食材

- 300g 雞胸絞肉
- 1/2 顆洋蔥——切小丁。
- 1/2 顆中型南瓜（去皮去籽後約 300g，多一些或少一些都無妨）
- 1 顆雞蛋
- 2 大匙麵粉（各種筋性的麵粉都可以）

作法

1　將洋蔥丁跟南瓜（切半即可，無需去皮去籽）分別置於碗中，放入大同電鍋，外鍋加一杯水蒸。

2　電鍋跳起後，先將蒸軟的洋蔥取出，再加一杯水到外鍋，繼續把南瓜蒸更軟。

3　取一個炒鍋，熱鍋後，不要加油，直接把蒸軟的洋蔥丁放入，以中小火先把蒸出來的水分炒乾。

4　接著加入少許油，繼續拌炒至洋蔥變焦黃色後取出。

5　電鍋跳起後，將南瓜取出，用湯匙將籽挖除，再把南瓜肉挖出，置於大盆，散熱數分鐘。

6　接著將雞胸絞肉、洋蔥丁、雞蛋跟麵粉，全部放入，用湯匙攪拌均勻。

7　於平底鍋中加入適量油，熱鍋後，用湯匙撈出一小坨肉泥，將肉泥陸續放入鍋中。

8　待底層變成淡淡的金黃色後，即可翻面，另一面也煎到淡淡的金黃色後，即可起鍋。

#07

絕妙美味在嘴裡化開

酪梨雞肉煎餅

自從有弟弟跟我一起狂吃酪梨，我只要上超市看到有漂亮的，就會買個好幾顆回來擺著。若是一次買好幾顆，我會盡量挑選不同熟度的，才可用從容的步調依序吃完。但總有失算的時候，像是Costco都是賣一整袋，無法個別挑選熟度，那一批就會像同窗同學一樣一起變老，夏天的老化速度更是快到讓我措手不及。就算一熟就冰冷藏，能爭取多幾天的存放時間，但要我儘快幹掉那麼多顆，還是有點傷腦筋。

這天靈機一動，決定抓一顆做成酪梨雞肉煎餅，冷凍起來，就可以跟弟弟慢慢吃了。酪梨雞肉煎餅裡面加了一整顆炒到焦黃的洋蔥丁，也加了一些玉米粒，讓肉排變得軟嫩香甜，連著酪梨塊一口咬下，讓酪梨在嘴裡化開，真是美味到我不知道怎麼形容（俗稱詞窮），反正絕對是大人也會愛上的口味啦，而且雞胸肉又低脂高蛋白，超健康，找機會做做看喔！

FIRST TRY

1Y

RECIPE

份量：5 人份

食材

- 300g 雞胸絞肉
- 1 顆洋蔥──切細丁。
- 1 顆酪梨──切小塊。
- 適量玉米粒
- 1 顆雞蛋
- 1 大匙麵粉（各種筋性的麵粉都可以）

作法

1 將洋蔥丁置於碗中，放入大同電鍋，外鍋加一杯水蒸軟。

2 熱鍋後，不要加油，直接把蒸軟的洋蔥丁放進去，以中小火先把蒸出來的水分炒乾。

3 接著加入少許油，繼續拌炒至洋蔥變焦黃色後取出。

4 取一大盆，放入雞胸絞肉、炒軟的洋蔥、玉米粒、雞蛋跟麵粉，用湯匙攪拌均勻。

5 加入酪梨塊，用手輕柔地把酪梨塊撥散，均勻混合於肉泥中。

6 於平底鍋中加入適量油，熱鍋後，用湯匙撈出一小坨肉泥，將肉泥陸續放入鍋中。

7 待底層變成淡淡的金黃色後，即可翻面，另一面也煎到淡淡的金黃色後，即可起鍋。

若對煎肉排的技巧較生疏，可將酪梨塊切細一些，酪梨才比較容易被包覆在肉泥裡，不會露出來，導致一翻面就散開或掉落。

─── TIPS ───

🥑 酪梨塊比較軟，所以調整成在最後階段放入，才不怕在混合的過程中把酪梨弄爛了。

🥑 因為酪梨本身沒有什麼明顯的味道，所以這個肉排我把洋蔥的份量拉到一整顆，同時搭配玉米粒，就可讓肉排變得多汁不乾澀。

FIRST TRY

10M29D

#08

香酥鬆軟的美味豆香

海苔豆腐煎餅

弟弟很喜歡吃豆腐,如果我有燉肉豆腐或煮味噌湯時,他總可以趁機
吃上好幾塊,我也會直接切一塊嫩豆腐去蒸,即便是這樣原味他也愛
吃,軟軟嫩嫩又有淡淡的豆香,對他來說很美味吧!

但如果我那一陣子沒做豆腐料理的話,弟弟就沒什麼機會吃到了,所
以我有時會把做這個豆腐煎餅,這樣就可以一次多做一些,分裝冷凍
起來,要給弟弟吃的時候,回蒸或是退冰乾煎一下就好,很方便我隨
時拿來幫他加菜呢!香酥鬆軟的豆腐煎餅,連哥哥都說好好吃!

RECIPE

份量：3～4 人份

食材

- 2 塊板豆腐
- 適量炒過的紅蘿蔔絲（照慣例，我都是把冰磚蒸熱後使用）
- 2 根青蔥──切細段。
- 1 顆雞蛋
- 1 顆烤地瓜（便利商店賣的就可以）──去皮。
- 適量海苔撕碎

作法

1 將所有食材放入盆中，用手將豆腐及地瓜大致捏碎，混合均勻。

2 於平底鍋中加入適量油，熱鍋後，用手撈出一小坨，大致捏成型後，輕輕放入鍋中。

3 待底層變成淡淡的金黃色後，即可翻面，另一面也煎到淡淡的金黃色後，即可起鍋。

───── TIPS ─────

- 雖然豆腐泥很軟嫩，但還是可以大致捏成圓餅型，若製作時覺得有點困難，也可直接用湯匙撈出適量豆腐泥再放入鍋煎，差別只是煎出來的形狀不會像照片這樣成型，吃起來沒有差別。

- 一般而言豆腐不建議冷凍，會變成凍豆腐而失去細嫩的口感，但這個煎餅中的豆腐已經被捏碎，冷凍後再復熱口感不會差太多。

#09
騙高拐老嬰的妙招
蔬菜煎餅

不吃蔬菜是很多小孩的罩門，也是家長心中最難纏的惡夢，因為小孩
一旦不肯吃，抗拒的力道會很強烈，而且一對戰就是好幾年，把整個
童年都拿去恨蔬菜也不為過。蔬菜說起來很能激發小孩的潛力，像是
讓他們變得很有guts，因為飯裡有一片菜不想吃可以整碗都放棄；或
是讓他們小肌肉突然變得很發達，混在飯裡的菜都可以用指尖一片片
挑起；或是變得口腔很敏銳，跟其他食物一起招搖撞騙想進他嘴裡，
絕對會被抓包。

當年哥哥也很痛恨蔬菜，這個蔬菜煎餅是少數能矇騙過關的小法寶。
菜切碎後混進蛋糊裡，被煎成金黃香酥的煎餅，當場讓小孩的防衛心
下降 90%，又很適合作為手指食物，拿來騙高拐的老嬰最棒了。

RECIPE

份量：4〜5 片

食材

- 適量高麗菜──先切細絲，再橫向切幾刀變成小塊狀。
- 適量紅蘿蔔絲（我是把常備的紅蘿蔔冰磚解凍後拌進去，就跟你說很萬用吧）
- 適量無鹽玉米粒
- 2 顆雞蛋
- 1 大匙麵粉（各種筋性的麵粉都可以）

蔬菜煎餅
關鍵技巧

作法

1 於平底鍋中倒入約1cm的油，待油溫夠高後（木筷放入鍋中，周邊會冒小泡泡，代表油溫夠了），拿湯勺挖適量蔬菜麵糊，輕放於鍋中。

2 待底部那面煎到金黃，即可翻面，另一面也被煎到金黃色後，即完成。

──── TIPS ────

- 也可用其他蔬菜，但不愛吃菜的小孩，對高麗菜比較願意給pass，因為沒有令他們看到就倒彈的深綠色，吃起來清甜無菜味，第一次出手，先用高麗菜，成功機率會比較高。

#02

金黃香酥愛不釋口
馬鈴薯煎餅

馬鈴薯煎餅是我非常愛的一道平民美食，只需要一顆馬鈴薯跟一顆雞蛋，就能煎出好幾片金黃香酥的薯餅。我都會一次煎好，分裝冷凍起來，等要吃的時候烤一下，就很適合當早餐或是下午點心。

FIRST TRY

1Y1M

如果寶寶進入撞牆期，跟我們家哥哥當年一樣，啟動粥啊飯啊都不肯吃的仙人模式，也可以用這個煎餅作為正餐的主食，給寶寶一點新鮮感。

馬鈴薯煎餅要好吃的關鍵，就是剉籤之後，要泡水個一兩分鐘，讓多餘的澱粉溶出。取出後，再把水盡量擰乾，我是用萬用料理紙包著擠水，也可以用紗布，或是直接握在手心擠，擠乾後，加入一顆雞蛋，跟馬鈴薯絲攪拌均勻。

也要說一下煎的技巧。因為成分只有馬鈴薯絲跟一顆雞蛋，沒有加麵粉跟水去調成麵糊狀，所以在下鍋時，會覺得好像散散的，一副隨時要散開的樣子。不要怕，你就是用湯勺撈一小匙，熱鍋後，一匙匙放進去煎，在入鍋後，拿兩隻湯匙把煎餅的邊緣從外往內推，讓馬鈴薯絲能集中一點，緊實結構。

等確定底部那面已經煎到金黃色後，夾緊屁股，提肛憋氣，一氣呵成翻面，翻了之後，邊煎邊用鍋鏟壓一壓煎餅，同樣也是為了讓結構更緊實。

只要照這提醒煎，很快地你就會感覺到馬鈴薯煎餅已經很明顯變成一塊，最後煎好時，是可以輕鬆用筷子拿起的狀態，給小孩當手指食物，就不用怕一下就散光光。寶寶這樣吃原味的就會覺得超香超好吃的了，如果是大寶或是大人想吃，也可加點番茄醬或撒白胡椒鹽。

RECIPE

份量：2～3人

食材

- 1 顆馬鈴薯——削皮刨籤後泡水一兩分鐘，再擰乾。
- 1 顆蛋

作法

1　將馬鈴薯絲與蛋攪拌均勻。

2　於平底鍋中加入適量油，熱鍋之後，用湯勺撈一小匙入鍋，一匙匙放進
　　鍋中煎。拿兩隻湯匙把煎餅的邊緣從外往內推，讓結構緊實。

3　等確定底部那面已經煎到金黃色後，即可翻面，邊煎邊用鍋鏟壓一壓煎
　　餅，另一面也煎至金黃色後，即完成。

#11

讓寶寶大悅的鬆軟滋味

馬鈴薯玉米鬆餅

我們家哥哥很喜歡吃玉米，以前試著做玉米煎餅給他吃，照慣例用了雞蛋跟麵粉去調了簡單的麵糊，再或一些玉米粒進去，但煎出來的口感讓我不甚滿意，主要是麵衣的口感太厚實了點，熱熱的時候吃還可以，但冷掉的話會變硬，跟我想像的差一大截。

其實可以加泡打粉讓口感鬆軟，但我又希望使用原型食材來製作，所以就一直把這個念頭擱著，玉米煎餅從此被掛上「未完待續」的標籤，一掛就是兩三年。

直到有天我看日劇「黑心居酒屋」，有一集老闆把馬鈴薯磨成泥，再加一點麵粉，做成鹹口味的鬆餅，讓我深夜看到眼睛整個亮起來。就原著的描述，她也有加泡打粉跟一點鹽，但我想光用馬鈴薯泥當我玉米鬆餅的基底，口感應該就會大大改善了。

二話不說，馬上找天做了幾片給弟弟試試看。煎好後我偷吃了一片，媽呀也太香了，吃起來很像薯餅，但又比一般薯餅再更鬆軟，還會不時咬到脆甜的玉米，弟弟一吃馬上龍心大悅，哥哥吃了也直說好吃。

一顆馬鈴薯我做出來是六小片，吃不完的可以冷凍起來，要吃時再回烤或乾煎復熱，就能隨時弄給小孩當點心或早餐囉！

RECIPE

份量：2～3 人份

食材

- 1 顆馬鈴薯──去皮、磨成泥。
- 1 小匙麵粉（各種筋性的麵粉都可以）
- 適量無鹽玉米粒

作法

1 將馬鈴薯去皮、磨成泥，置於大碗中。

2 加入一小匙低筋麵粉及無鹽玉米粒，與馬鈴薯泥混合均勻。

3 於平底鍋中加入適量油，熱鍋後，用湯匙撈出一小坨馬鈴薯泥，陸續放入鍋中。

4 待底層變成淡淡的金黃色後，即可翻面，另一面也煎到淡淡的金黃色後，即可起鍋。

──────────── TIPS ────────────

🍴 吃不完的可以冷凍起來，要吃時再回烤或乾煎復熱。

在馬鈴薯泥中加入麵粉與玉米。

充分拌勻後，準備入鍋煎囉！

日劇給了我完成玉米煎餅的靈感，哥哥弟弟都很愛！

FIRST TRY

11m 4d

#12

外層香酥內層鬆軟
地瓜煎餅

如果想用地瓜變化出其他小點心，那一定要試試看地瓜煎餅。

只要把地瓜切塊（我習慣買紅肉地瓜），放進大同電鍋，外鍋一杯水把地瓜蒸軟後，把地瓜搗成泥。於地瓜泥裡加入一顆雞蛋跟一大匙低筋麵粉，攪拌均勻，地瓜麵糊就完成了。

接著只要用適量油熱鍋，拿個湯勺撈一坨地瓜泥，放入鍋中煎至兩面金黃，即完成。

這道很適合作為早餐、下午點心或是手指食物，外層香酥、內層鬆軟的地瓜煎餅，連我一吃都停不下來。

RECIPE

份量：2～3 人份

食材

- 1 顆地瓜──削皮切塊後放進電鍋蒸，外鍋一杯水，熟後搗成泥。
- 1 顆蛋
- 1 大匙麵粉（各種筋性的麵粉都可以）

作法

1　將地瓜泥、蛋與低筋麵粉攪拌均勻。

2　於平底鍋中加入適量油，熱鍋後，用湯勺撈一小匙入鍋，一匙匙放進去煎。

3　煎至兩面金黃，即完成。

───── TIPS ─────

◉ 多做的可以冷凍保存，要吃時烤一烤或是用退冰直火乾煎！

#13

讓拒絕被餵食的寶寶也能大口吃飯

鮭魚玉米煎飯餅

很多寶寶到了一個階段會突然痛恨被大人用湯匙餵食，好像覺得自己
總是這樣茶來伸手飯來張口很不好意思，但想想他們也沒多不好意
思，因為當他們決定不再給餵時，根本就兇得要死，看到湯匙靠近就
一副上面有放屎一樣，把頭撇開就算了，還伸手把湯匙拍掉。

其實這就是寶寶轉大人的一個過程，比起被餵食，他們更想自己吃，媽媽們不用太往心裡去。但這階段比較麻煩的是，像米飯這種主食就很難讓寶寶好好吃進去了。

在這種過渡時期，除了可以改給烤地瓜、馬鈴薯、成分單純的麵包或饅頭，也可以把米飯「具體化」，讓寶寶可以直接用手拿起來吃，化解他們不願被湯匙餵的窘境。

示範的食譜是加了鮭魚、玉米、小松菜、雞蛋跟白飯。只要學會這招，就可以自行變化食材，像是用洋蔥雞絞肉、鮪魚、鯖魚、吻仔魚，也可加炒過的紅蘿蔔絲，蔬菜也可以隨意調整。

只要記得，放進去的料都要是熟的（除了雞蛋），然後用小火煎到表層微金黃就好，不要刻意煎到恰恰，因為我們覺得恰恰很好吃，但對寶寶來說會太乾硬不好吞。

RECIPE

份量：約 4 ～ 5 片

食材

- 1/2 碗溫熱的白飯
- 適量玉米粒
- 蒸熟的鮭魚──搗碎去刺。
- 適量小松菜──燙熟後將水分擠乾，切碎。
- 1 顆雞蛋

作法

1　取一大碗，將所有食材混合均勻。

2　於平底鍋中加入適量油，熱鍋後，用湯匙撈出一小坨飯，放入鍋中。

3　把飯依序放入鍋中後，以小火慢煎，過程中可用鍋鏟或湯勺輕壓飯餅，讓表面變平整。

4　待底層變成淡淡的金黃色後，即可翻面，另一面也煎到淡淡的金黃色後，即可起鍋。

─────── TIPS ───────

● 如果怕不好翻面，就做小塊一點。

將白飯、鮭魚、菜、蛋一起放入大碗中。

充分拌勻後，舀一小坨飯，陸續入鍋煎。

可一次做多一點，冷凍保存備用。

#14

殺出重圍的米飯變化型

一口小飯糰

沒當媽之前可能無法想像,我們天天吃的米飯,竟然也會有被小孩拒吃的一天!這個症頭我在哥哥時期就見識過了,弟弟雖然是個受食神眷顧的孩子,但到了一歲多,也曾有幾度飯吃沒幾口就給我撇頭。如果是新手媽媽看到這一幕,肯定會心頭一緊,想說天啊我的小孩開始

FIRST TRY

1Y3M

厭食了嗎？我終究還是躲不掉了是嗎？

你是有可能躲不掉啦（這時候不是應該講點安慰的話嗎？？？），但以我見過大風大浪的二寶媽經驗看來，當小孩不肯吃「飯」時，他討厭的往往不是米飯本人，而是米飯一直以來在他面前所呈現的型態，以及他吃的方式，簡單說就是朕乏了（寶寶搖竹扇）。

此候只要冷靜下來，用點巧思變換米飯呈現在他們眼前的模樣，通常就會給pass了，因為不吃飯說真的也很餓啊。

一口小飯糰製作手法非常簡單，只要在飯裡撒點香鬆或是海苔碎片，再捏成一口的大小，寶寶就會覺得哎呦，這個不錯喔，抓起來往嘴裡塞。學會這招口味就可以無限延伸，有時弟弟如果一副愛吃不吃的樣子，我其中一招就是把飯捏一捏，炊飯、拌飯或炒飯都可以，只要食材的顆粒沒有過大就好。

而這樣一口口雖然看起來沒多少，但其實四五顆，對小小孩一餐來說飯量就很足夠了，吃的過程又乾脆，沒幾分鐘就吃光光，媽媽看了就是爽。捏飯糰時有個小訣竅，就是手要先用開水沾濕，這樣米飯才不會黏滿手，捏出來的飯糰形狀也才會比較俐落漂亮喔！

變化型示範：這天我把白飯、紅蘿蔔絲冰磚跟白帶魚捲蒸熱後，先於碗中攪拌均勻，再捏成小丸狀。我還在捏弟弟就湊過來吵著要吃，最後完全沒有上桌的機會，直接被幹掉了。

RECIPE

食材

- 適量白飯
- 適量香鬆或海苔碎片

作法

1 在飯裡撒入香鬆拌勻。
2 雙手用開水沾濕,再將飯糰捏成一口大小即成。

○變化型示範──紅蘿蔔鮮魚小飯糰

食材

- 適量白飯
- 適量紅蘿蔔絲冰磚──蒸熱。
- 適量白帶魚捲──蒸熱。

作法

1 把白飯、紅蘿蔔絲冰磚跟白帶魚捲放進碗中攪拌均勻。
2 雙手用開水沾濕,再將飯糰捏成一口大小即成。

只要稍微改變飯的型態，
寶寶就會開心吃下了！

當餐有什麼料都可以，炊飯、炒
飯皆可，捏一捏變成小飯糰！

FIRST TRY

1Y2M

#15
乾貨界的巧虎
海苔飯餅

延續上篇,海苔飯餅也是個能快速把米飯變成手指食物的方式。

海苔是許多媽媽在小孩進入吃飯撞牆期時的好戰友,可說是乾貨界的
巧虎(?),只要把東西包進海苔,小孩不知道為什麼嘴巴就打開
了,功效之神奇,讓媽媽們紛紛感到嘖嘖稱奇,新手媽媽務必跟上。

海苔飯餅的作法很簡單,拿一片無鹽海苔,把飯鋪在其中一半,對折
後再用食物剪刀剪成適口大小,即完成。記得,不要用刀切喔,會把
海苔切得爛爛的喔。

好,結束,下一篇!

RECIPE

份量：1人份

食材

- 適量白飯
- 1片無鹽海苔

作法

1 把飯鋪在無鹽海苔的其中一半。

2 將海苔對折後，再用食物剪刀剪成適口大
  小，即完成。

――――― TIPS ―――――

⚫ 一定要用食物剪刀剪，用刀切會爛爛的。

FIRST TRY

1Y

#16

無敵香甜的平民美食

香烤地瓜條

每次外出如果不知道要給弟弟吃什麼,我一定手刀衝去便利商店買顆烤地瓜,只要有烤地瓜在手,為母的心就踏實了。可惜在家不能輕鬆烤出鬆軟的地瓜,但沒關係,把地瓜切成條狀,淋點橄欖油抓一抓,再鋪在烤盤上,送進烤箱,用220度烤個20分鐘(要不時去看一下烤的狀況,因為每個人切的大小不太一樣,烤的時間也會有所差異)。

等烤到像照片這樣金黃色、表層有點皺皺,就代表地瓜已經熟透,這個狀態的地瓜,超級無敵香甜,很適合讓寶寶抓著當手指食物吃。吃不完的可以冷凍起來,想吃時烤一下就好囉!跟我一樣重度依賴地瓜的人,一定要試試看啦!

RECIPE

食材

- 1顆地瓜──削皮切條狀。
- 適量橄欖油

作法

1　將地瓜淋點橄欖油抓一抓,鋪在烤盤上,送進烤箱。

2　用220度烤約20分鐘即成。(要不時去看一下烤的狀況)

──── TIPS ────

吃不完的可以冷凍起來,想吃時烤一下即可。

243

FIRST TRY

10M23D

#17

香甜迷人的早餐與小點

香蕉煎餅

香蕉煎餅是哥哥從小時候就很常吃的小點心,不管是拿來當早餐,或是午後小點都超合適,大人配杯咖啡一起吃也會覺得十分享受。

這個小點心在老嬰厭食時特別管用,鬆軟香甜,他們怎麼阻擋得了!

RECIPE

份量：3～4 人份

食材

- 1 根香蕉——用叉子搗成粗泥，保有一些小香蕉塊沒關係。
- 1 顆雞蛋
- 1 大匙麵粉（各種筋性的麵粉都可以）

作法

1　將所有食材混合均勻後。

2　以少許油熱鍋，將蛋糊入鍋煎成鬆餅大小、兩面呈金黃色，即完成。

#18

小孩肯定愛的好滋味

日式烤飯糰

在外吃飯時，如果看到店家有賣日式烤飯糰，我屁股都還沒坐下就會請老闆先做，因為哥哥一定買單。但外面賣的烤飯糰，有時會烤到太過乾硬，吃起來會有點辛苦，連我咬了都覺得必須配啤酒（是單純想喝吧少在那邊）。

在家自己做就沒有這個問題，用小火慢烤個幾分鐘，不時摸摸看表層確認米飯硬度，一下就能烤出外層微焦不乾硬，內層米飯仍鬆軟的飯糰，讓孩子可以輕鬆拿在手上啃食。

食譜示範是拌一些香鬆進白飯裡，除此之外還有很多變化的方式，像是加鮭魚、鮪魚、吻仔魚，或是在飯糰中間包餡料。這個小點非常適合當早餐或是帶出門吃，刷了甜醬油再乾煎，香到不行，小孩沒有不愛的！

FIRST TRY

1Y 3M

RECIPE

食材

- 適量溫熱白飯
- 1 片無鹽海苔
- 適量香鬆
- 1/2 小匙醬油
- 1/2 小匙白砂糖

作法

1　將想要的配料，拌入白飯裡（要用溫熱的飯喔）。
2　用模具製作成三角飯糰形狀，沒有的話也可用手捏，記得手要先用開水沾濕，才不會黏飯粒。
3　於小碗中，加入1/2小匙醬油跟1/2小匙白砂糖，混合均勻。
4　平底鍋熱鍋後，不用加油，直接把飯糰放入，用小火乾煎。
5　待兩面都被煎到表層有點乾但米飯仍保有彈性時，即可用油刷依序於兩面抹上甜醬油，接著繼續煎到表層微焦，即完成。

○跟寶寶搶時間的作法

前一晚先將三角飯糰製作好，放入冰箱冷藏。隔天要吃之前，再放進鍋中乾煎＋塗甜醬油即可。只要確認要用夠小的火煎，讓飯能均勻復熱，成果一樣好吃。

有時我看晚餐剛好有剩一些白飯，就會順手捏一捏冰起來，隔天要給弟弟吃午餐時就很方便，這招可以學起來。

── TIPS ──

● 醬油跟白砂糖我自己抓的比例是1：1，準備甜醬油時，可依照
　飯糰的量自行增減喔！

1 Y

#19
鬆軟口感蛋香四溢
香煎法國吐司

我想問,到底有誰會不喜歡充滿蛋香的法國吐司呢?

我週末早午餐做法國吐司的話,一定皆大歡喜,只是現在多了弟弟,等於至少要煎個十片吐司才夠一家四口吃,光想都累了!

還是趁平常偷偷弄給弟弟吃就好了,煎一片很輕鬆啊,而且反正哥哥在學校都有點心可以吃嘛(越講越小聲)。

怎麼做呢?很簡單。拿一顆雞蛋,加80ml牛奶,攪拌均勻後,拿盤子把一片吐司泡在蛋液裡面,至少泡個20分鐘,讓吐司能吸滿蛋液。

接著在平底鍋裡加上適量油熱鍋(喜歡的話也可以用奶油),把吐司放入鍋中,以中小火煎至兩面金黃,蛋香四溢的鬆軟吐司就完成囉!煎好後,可以剪成塊狀或是條狀,讓寶寶自己拿著吃,是很棒的早餐或是午後點心喔!

RECIPE

寶寶版食材

- 1 片吐司
- 1 顆雞蛋
- 80ml 牛奶

大人版食材

- 4 片吐司
- 3 顆雞蛋
- 180ml 牛奶
- 1.5 大匙白砂糖

作法

1　將蛋與牛奶攪拌均勻後，拿盤子把吐司泡在蛋液裡面，至少泡20分鐘，讓吐司能吸滿蛋液。

2　平底鍋裡加入適量油熱鍋，把吐司放入鍋中，以中小火煎至吐司兩面金黃即成。

FIRST TRY

1Y1M

#20

端出來超唬人

布丁吐司

布丁吐司是道製作非常簡單、食材很好準備,而且還很營養的小點心,隨便弄一弄,端出來小孩看到下巴都掉了,覺得媽媽今天看起來佛光普照,準備那麼有誠意的點心給他們吃。

之所以叫布丁吐司,是因為吐司會浸泡在充滿奶香的蛋液裡,再進烤箱烤。烤好後,上半部的吐司會變得酥脆無比,就像在吃餅乾一樣,讓小孩好喜歡;下半部的吐司則會變得柔軟濕潤,整個融入布丁蛋液裡,讓小孩一口口挖不停。

這招不敗的簡易甜點,一定要學起來,而且如果老嬰厭奶,還可以用這個點心,讓老嬰補回一點奶量喔!

RECIPE

份量：1 人份

食材

- 1 片吐司──切九塊備用。
- 1 顆雞蛋
- 100ml 牛奶（也可用母乳或配方奶）

作法

1　將取一個小烤盅，將吐司立著放入。放的時候讓吐司邊朝上。

2　將雞蛋與牛奶打成蛋液後，倒入烤盅，放置 5～10分鐘，讓吐司下半部吸滿蛋液。

3　用170度烤20分鐘，烤好後，可在上面加新鮮莓果，或是撒點水果乾，即完成。

─────── TIPS ───────

- 這樣烤出來後，上邊的吐司會很香脆，但如果對寶寶咀嚼能力比較沒把握的，可以去吐司邊，同時讓全部吐司都浸泡在蛋液裡，再去烤，烤出來就會整個都很濕潤好吞嚥，很適合給大寶寶吃。

- 如果大人或是大寶要吃加糖的版本，只需要在蛋液裡加適量白砂糖（甜度依個人喜好調整，可以先試試看加一小匙）。或是蛋液不加糖，烤好時直接在表層撒點糖粉。

- 喜歡奶油香氣的話，可以在烤盅內側抹點奶油，再放吐司。

- 蛋液最多倒至烤盅八分滿，太滿的話布丁烤一烤膨脹後可能會溢出來。

#21
花生醬原來不邪惡
蝸牛吐司卷

我以前一直覺得花生醬是被歸屬在垃圾食物那塊,很甜熱量又高,然後還那麼香讓人不小心就吃過量,根本就是一個萬惡的存在(指)。

直到當媽後,開始研究早餐該怎樣吃,才赫然從醫生跟營養師的衛教文章中,得知花生醬的營養價值很高,含有豐富的脂肪、蛋白質、碳水化合物、維生素A、維生素E、鈣鐵及多種維生素,只要挑選「無糖、無添加」的花生醬,就非常適合給孩子作為早餐或點心的配料,甚至比給果醬好,因為果醬反而都會加不少糖。

有了這個觀念,想著要弄吐司給弟弟當點心時,首選當然就是無糖花生醬啦。買到後我跟著嚐了一點,本來怕不加糖會有點奇怪,沒想到光花生本身的香氣就超濃郁迷人,我一吃就愛上,那就拿來做成造型可愛又很方便弟弟拿取的蝸牛吐司卷吧!弟弟一卷卷拿起來猛吃,超愛的呢!

FIRST TRY

1Y2M

RECIPE

份量：1 人份

食材

- 1 片新鮮吐司
- 適量花生醬

作法

1　吐司切邊後，用手把吐司輕輕壓一壓，擠出多餘空氣。

2　將花生醬均勻塗上。

3　捲起來，切成適口大小，即完成。

--- TIPS ---

- 務必要用新鮮吐司。
- 不先把吐司壓一壓的話，會因為吐司氣孔內的空氣太多，捲起來後一下就會散開。
- 捲好的吐司可用保鮮膜包起，就很適合帶出門給孩子當點心。

NG版！

不先把吐司壓一壓的話，會因為吐司氣孔內的空氣太多，捲起來後一下就會散開。

捲好的吐司可用保鮮膜包起，就很適合帶出門給孩子當點心。

#22

簡單方便又營養的點心
水果燕麥

印象中弟弟好像九月大前後，副食品越吃越多後，下午就不太喝點心奶了（老二的事情都記憶猶舊，才幾個月前的事情感覺像幾年）。不喝奶，那就順勢再改給固體點心吧，不然午覺起來不再吃點什麼，也撐不到晚餐。

準備給寶寶吃的點心，自然是要簡單方便又能兼顧營養，不然連點心都要費心張羅，媽媽一天到底還剩下多少時間給自己，真的是不需要拚成這樣。

在這樣的前提下，我首選是水果燕麥，這是從哥哥時期就開始的習慣。我會利用這個時段，讓他們吃點水果，燕麥更是非常健康的膳食纖維，搭在一起一次吃到，我都替他們覺得通體舒暢。

燕麥我是買桂格即食燕麥，只要用熱水沖泡，一分鐘後就可以吃，超級省事。水果的話，以下是我常做的口味。其實就是那幾樣在那邊排列組合啦，但這樣變一變小孩就吃得很開心，可以簡單幹嘛要複雜（臥佛之姿躺沙發）～

藍莓燕麥

藍莓不加水,洗乾淨後,直接放入小鍋,以小火慢煮10～15分鐘,就會變成一鍋果醬。我會直接把煮好的藍莓果醬拌入泡軟的燕麥,混一混給弟弟吃。

記得,新鮮藍莓買回家,可以冰冷凍保存喔,冷凍藍莓退冰後會整個軟掉,直接吃口感並不好,但我還是隨時會凍著一兩盒,方便我做果醬用。

藍莓蘋果燕麥

蘋果因為偏脆,不好給寶寶吃,我都會先把蘋果切塊後,用大同電鍋,外鍋一杯水蒸軟,蒸過的蘋果也會更甜,寶寶會很喜歡吃。

把蘋果蒸軟後,用叉子搗碎,再放到小鍋裡,丟一把藍莓進去,以小火煮個幾分鐘,藍莓就會出汁,跟蘋果泥混在一起,變成很香甜爽口的藍莓蘋果泥,拌進燕麥裡超好吃。

藍莓西洋梨燕麥

處理程序同藍莓蘋果燕麥。

蘋果香蕉燕麥

一樣使用蒸熟的蘋果泥，再另外拿一小段
香蕉，用叉子把香蕉壓碎後，就可以一起
拌進燕麥裡。這個口味也很適合丟一些切
碎的葡萄乾進去。

變化型

西洋梨香蕉燕麥，處理程序同上。

草莓燕麥

我有時會買冷凍草莓冰在冰庫，假日就可以打香蕉草莓奶昔。除此之外，把冷凍草莓切一切（不用解凍），直接丟到小鍋裡，一滴水都不用加，用小火慢煮個10分鐘，就會變成草莓果醬，拿來拌進燕麥裡，怕酸的小孩可以淋點蜂蜜，就會變成非常可口的一碗燕麥。這果醬也可以拿來配鬆餅，是大人小孩都會愛的酸甜口味。

當然，如果剛好遇到草莓季，也可以用新鮮草莓製作，我還會切一點新鮮草莓丁拌進去果醬裡，吃起來口感更豐富喔！

蘋果葡萄乾燕麥

蘋果蒸熟後，如果份量夠多，我會用冰磚盒分裝成一份份冷凍起來。忙的時候，我就不用從頭開始準備，只要把蘋果冰磚蒸熱，就可以混進燕麥給弟弟吃。有時我還會拿幾粒無糖葡萄乾，切碎拌進去，讓味道更豐富有趣一些。

變化型

西洋梨葡萄乾燕麥，處理程序同上。

奇異果蜂蜜燕麥

奇異果本身偏酸，有的寶寶吃了會嘎冷筍，還好一歲後，就可以把奇異果切小丁後拌入燕麥，再淋一點蜂蜜，變成酸酸甜甜的口味，讓孩子大口大口吃起來。如果寶寶不怕酸，當然也可以配燕麥直接給囉！

TIPS

水果燕麥也可以給
月齡較小的小寶寶
吃，拿攪拌棒打成
泥就可以餵囉！

給兒子們的話

寫三書時，哥哥才剛上幼兒園不久，一轉眼，四書寫完時，哥哥要從幼兒園畢業，準備上小學了。

從第一本書開始，我就有個私心的小習慣，在書末寫一段話送兒子，作為給彼此的紀念。隨著哥哥長大，弟弟誕生，身為母親的感動與感觸越來越深，這段話我拖到書截稿了，還遲遲無法交稿。直到學校請畢業生家長寫一些話送給孩子，我才終於提筆。寫完後，覺得可以節錄部分放進書裡，因為這是我此刻對他最想說的話了。

給哥哥：

你很快就要經歷人生第一次離別，你可能會有點難過。

但沒關係，你會發現，有些人雖然不能常常見面，但光想著他們就很快樂，這就是好朋友。

你很快就要上小學，你可能會有點緊張。

但沒關係，緊張的時候，想想你的好朋友們，也跟你一樣在新的學校努力著，你一點都不孤單，這就是友情的力量。

你很快就要進入一個全新的環境，你可能會有點害怕。

但沒關係，害怕的時候，想想三年前那個哭著進學校的你，還有畢業時這個充滿自信的你，你會發現其實你很勇敢，就算害怕也可以繼續往前走，你會越走越不怕，這就是長大。

我想我講那麼多，你大概也記不得。

但沒關係，你只要記得，爸爸媽媽非常非常愛你，謝謝你那麼努力讓自己變得更好，接下來，你的人生會更精彩！你有我們最深的祝福，你什麼都做得到。

給弟弟：

弟弟啊，其實在你之前，有一個小生命也曾經來到媽媽的肚子裡，但沒有停留太久，就離開了。

還好那時媽媽沒有什麼不舒服，心情很平靜，因為我相信老天自有安排。

一年多後我知道了，你就是那個安排，最好的那個。

你知道嗎？你講的第一個詞，不是媽媽也不是爸爸，是餓餓（笑），真是個可愛的小吃貨！媽媽最喜歡看著你跟哥哥大口吃我煮的菜了，繼續在我們家幸福快樂地長大吧！

書中食材索引

我將書中用到的食材相對應的食譜頁數，整理於此，使用上會更方便！

	筆畫	食材	頁數索引
其他	6	吐司	47、251、253、256
		米	144、149、162、166
	8	板豆腐	28、51、53、200、204、208、219
		花生醬（無添加）	256
	9	香鬆	238、248
	10	柴魚高湯（無鹽）	29、32、51、53、68、71、116、120、123、126、144、149、162、169、171、173、181、187
		烏龍麵	28、47、187
	13	義大利麵	47
		義大利麵紅醬	48
	14	嫩豆腐	41、51、71
		蒟蒻絲	28
	16	橄欖油	37、39、48、90、108、243
		燕麥	258、259、260、261、262、263
	18	雞高湯（無鹽）	82、86、90、99、101、103、105、108、113、147、151、154、166、181
		雞蛋	28、113、116、120、123、126、129、132、136、139、144、169、173、196、204、208、211、213、216、219、221、224、231、234、245、251、253
	20	麵粉	211、213、216、221、228、231、245

延伸食譜應用索引

食譜	延伸食譜
焦糖洋蔥肉豆腐（53）	什錦蒸蛋飯（172）、肉燥蔬菜拌飯（176）
洋蔥雞絞肉泥（196）	什錦蒸蛋飯（172）、鮭魚玉米煎飯餅（233）

國家圖書館出版品預行編目資料

林姓主婦的家務事 4：一條龍餐桌，從家庭料理
到副食品 (88+ 道好吃到噴淚，從嫩嬰到爸媽都
愛的料理)/ 林姓主婦著 . -- 臺北市：三采文化
股份有限公司，2021.10
　　面；　　公分 . -- (好日好食；57)
ISBN 978-957-658-626-2(平裝)

1. 食譜 2. 烹飪

427.1　　　　　　　　　　110012513

suncolor
三采文化集團

好日好食 57

一條龍餐桌，從家庭料理到副食品

88⁺ 道好吃到噴淚，從嫩嬰到爸媽都愛的料理

作者｜林姓主婦

副總編輯｜鄭微宣　　責任編輯｜鄭微宣

美術主編｜藍秀婷　　封面設計｜池婉珊　　內頁排版｜陳育彤　　內頁插畫｜池婉珊

內頁人物攝影｜OceanK Photography 美好日日影像工作室

專案經理｜張育珊　　行銷企劃｜周傳雅

發行人｜張輝明　　總編輯｜曾雅青　　發行所｜三采文化股份有限公司

地址｜台北市內湖區瑞光路 513 巷 33 號 8 樓

傳訊｜TEL:8797-1234　FAX:8797-1688　　網址｜www.suncolor.com.tw

郵政劃撥｜帳號：14319060　　戶名：三采文化股份有限公司

初版發行｜2021 年 10 月 1 日　定價｜NT$400

　　2 刷｜2021 年 10 月 5 日